JN232354

知識ゼロからの
敬語マスター帳

- 外出から戻ったら
  ただいま、戻ってまいりました。
- 残業を断らざるをえない場合
  申し訳ございません。
  本日はどうしてもはずせない用事がございまして。
- 手土産な持参したとき
  よろしかったら皆様で召し上がってください。
- お茶を出されて、勧められたとき
  ありがとうございます。それでは遠慮なくいただきます。

- 説明した内容が伝わったか確かめる場合
  いかがでしょうか。
  何かご不明な点などございませんか。
- 自分ひとりでは判断できないことを言われたとき
  この場ではお答えできませんので、
  あらためてお返事させていただきます。
- 戻ったら電話をしてほしいと伝言を残すとき
  恐縮ですが、戻られましたらお電話をくださいますよう
  お伝えいただけますでしょうか。

The Guide of Using Honorifics Properly

弘兼憲史

幻冬舎

知識ゼロからの
敬語マスター帳

敬語は理屈より丸暗記
―― まえがきにかえて

　昔と比べれば、若者の言葉が乱れているといわれる。ボクもつくづくそう感じるひとりだが、とくに公の場で、まともな敬語が使えない若者が多いと思う。

　敬語と聞くと、どこか堅苦しく素直な自分を表現できないと感じるのだろう。ボクの若い頃を振り返れば、そう感じる若者の気持ちもわからないではないが、学生と社会人はやはり違う。社会では、上下関係をわきまえたコミュニケーションが求められる。

　なによりも、敬語を自由に操れないと、持てる力も発揮できない。せっかくすばらしいアイディアを思いついても、「ねえねえ、課長。チョーいいアイディアがあるんだけど、聞きたいっすか？」では、その時点で上司は聞く耳を持たないだろう。どんなアイディアも日の目を見ることはない。

　もちろん自分なりの表現も大切だと思うが、それ以前に最低限の言葉遣いを身につけるべきだ。社会では、正しい言葉が発せられて初めてコミュニケーションが図れる。社会の厳しさは、あなたの言葉の誤りをだれも指摘してくれないことにある（指摘してくれるとすれば直属の上司くらいだろうか）。つまり自分で気づかなければ、この先も同じ間違いを繰り返しかねないのだ。

　すでに社会に出て、言葉遣いに不安を感じながら適当にしのいでいるという人なら、今一度、基本に立ち返ってはどうだろうか。
・本書には適当な箇所に、会話形式のテストが設けてある。カッコのなかのふだん言葉を、それぞれのシーンに合った敬語に変えてみ

てほしい。自分の実力がわかるだろう。

　敬語がうまく使えずに言葉が足りないと、相手にあらぬ誤解を与えてしまう。立てるべき相手に謙譲語を使い、身内に尊敬語を使って平気な顔をしていれば、やはり常識を疑われ、あなたの心証は悪くなるだろう。言葉の使い方ひとつで、人間関係はスムーズにもなるし、こじれたりもするものだ。巧みな言い回しや表現を覚える前に、コミュニケーションの基本である言葉遣いを押さえておくほうが先決である。

　とはいえ、基本的な表現を状況に応じて使い分ければいいのだから、なにも構える必要はない。本書では、ビジネスの現場で必要最低限押さえておきたい敬語表現を紹介している。社内での挨拶、報告、連絡から、社外の人とのコミュニケーションの取り方、電話での話し方まで、取り上げている200あまりの例文は身近なシチュエーションばかりだ。つまり、本書の例文をビジネスシーンで使う頻度はきわめて高い。

　まずは例文の丸暗記から始めればいい。文法や語法といった理屈はしばらく横においておき、とにかく例文を繰り返し口ずさむ。そうすれば自然と口をついて出るようになるはずだ。そう、ただの知識ではなく、使えるビジネス敬語を満載したのが本書である。

　では、始めようか！

　　　　　　　　　　　　　　　　　　　　　　　　弘兼憲史

目次

第❶章 職場のルーティン会話術

午前中①:朝の伝達事項
テスト1,2 ……………………………… P.10
- 001 朝いちばんの出社時の挨拶
- 002 上司に呼ばれたときの返事の仕方
- 003 仕事の進行に問題はないかと聞かれたら（問題がない場合）
- 004 上司からその日の外出予定を聞かれたら
- 005 上司から仕事の指示を受けたときの返事
- 006 上司の指示がよくわからないときの応じ方
- 007 上司が指示した内容を復唱して確認する場合
- 008 上司が書類を見るようにと差し出したとき
- 009 上司と打ち合わせをしたいとき
- 010 上司から打ち合わせなどの指示を受けた場合
- 011 上司からその日の商談に同行するように言われた場合

午前中②:打ち合わせに入る
テスト3 ……………………………… P.18
- 012 廊下などで社員と顔を合わせたときの挨拶
- 013 会議室などに入るとき
- 014 会議で発言の許可を求めたいとき
- 015 上司の発言に対する同意をあらわす言い回し
- 016 ほかの人に対して反論するときの言い回し
- 017 発言をしめくくり、説明が十分だったかとたずねる
- 018 進行役を務めて、出席者に意見交換を求める場合
- 019 打ち合わせで、懸案事項について確認するとき
- 020 自分の提案が採用され、上司から激励されたとき

昼食:上司に同伴する
テスト4 ……………………………… P.19
- 021 上司から昼食に行こうと誘われたとき
- 022 店を決めるために何を食べたいかと上司に聞く場合
- 023 テーブルにつき、何を頼むか決まったかと上司に聞かれた場合
- 024 上司の好きなプロ野球チームの話題をふる
- 025 カラオケ好きの上司に音楽の話題をもちかける
- 026 業界の情報を知っているかとたずねる

午後①:外出する
テスト5 ……………………………… P.28
- 027 取引先に出かけるとき、上司に対して
- 028 上司に同行して外出する際に自分から声をかける場合
- 029 上司と取引先に出かけるのに、交通手段をたずねる場合
- 030 外出から戻ったら（予定していた時間通りに戻った場合）
- 031 外出から戻るのが予定より遅くなった場合
- 032 上司や先輩から留守中に電話があったと伝えられた場合
- 033 商談の成果を報告する（うまくいきそうな場合）
- 034 商談の結果を報告する（うまくいかなかった場合）
- 035 商談の答が出る時期を伝える

午後②:上司の外出
テスト6 ……………………………… P.29
- 036 外出する上司に対してかける言葉
- 037 上司が外出から戻ったときの挨拶
- 038 留守中の電話について伝える
- 039 留守中の来客について伝える
- 040 留守中に部長が呼んでいたと課長に伝える
- 041 留守中に言付かった連絡事項はないと伝える

午後③:上司への質問・報告
テスト7 ……………………………… P.38
- 042 質問があるときの話しかけ方
- 043 簡単な質問をするときの言い回し
- 044 相談や報告があるときの切り出し方
- 045 書類を提出するときに言う言葉
- 046 仕事の成功を報告する場合
- 047 商談相手から断りの返事がきたと報告する場合
- 048 仕事が期限までに間に合いそうにないとき
- 049 翌朝、取引先に直行する場合

アフターファイブ
テスト8 ……………………………… P.39
- 050 残業を命じられたときの返事の仕方
- 051 残業を断らざるをえない事情がある場合
- 052 用事があって上司より先に帰りたいとき
- 053 上司や先輩より先に帰宅するときの帰り際の挨拶
- 054 帰宅しようとしている上司に対する挨拶
- 055 上司から「飲みに行こう」と誘われたときの返事
- 056 上司の酒の誘いを断らざるをえない場合

コラム❶
- ●尊敬語と謙譲語は社会人必須のツール……P.48
- ●まったく違う言葉に変身する尊敬語&謙譲語‥P.50
- ●言葉を付け加えるだけで尊敬語・謙譲語にする方法……………… P.52

第❷章 取引先とのコミュニケーション

他社を訪問したとき
テスト9 ················ P.56
- 057 約束した人に会いたいことを伝える
- 058 アポイントなしで取り次ぎを頼む場合
- 059 アポイントなしで面会を断られた場合
- 060 アポイントなしで会えなかった相手に伝言を頼む場合

訪問先の応接室にて
テスト10 ················ P.57
- 061 応接室まで案内してくれた人への言葉
- 062 約束した相手が現れたときの挨拶の仕方(初対面の場合)
- 063 名刺交換のときに言うべき言葉
- 064 すでに面識のある相手が応接室に現れたときの挨拶
- 065 アポイントなしに会ってくれた相手への挨拶
- 066 手土産を持参したときに手渡しながら言う言葉
- 067 お茶を出されて、勧められたときの返事の仕方

用件に入る
テスト11 ················ P.64
- 068 挨拶のあと、本題に移る場合
- 069 説明した内容が伝わったかどうか確かめる場合
- 070 値引きするので考えてほしいとアピールする場合
- 071 相手の言うことに反論するときの言い回し
- 072 相手の言うことが以前と違っているときの指摘の仕方
- 073 力を貸してほしいとお願いするときの表現
- 074 問題点などの話し合いがすみ、ゴーサインの確認を取る場合
- 075 自分ひとりだけでは判断できないことを言われたときの返答
- 076 話がまとまる見込みがなく、あきらめる場合

退席する
テスト12 ················ P.65
- 077 返事をもらえる時期を確認しつつ、話を切り上げる場合
- 078 相手のほうから連絡すると言われた場合
- 079 次のアポを取る必要がある場合のたずね方
- 080 予定の時間を過ぎ、帰り時だと思ったら
- 081 帰り際の一般的な挨拶の仕方
- 082 見送ろうとする相手の素振りを見て、遠慮するとき

訪問客を迎える
テスト13 ················ P.74
- 083 社内で客と出くわしたときに言うべき言葉
- 084 社員への取り次ぎを頼まれたときの返答
- 085 客と約束している社員に訪問を伝える
- 086 応接室まで客を案内するよう頼まれたとき
- 087 応接室へ案内したときに言うべき言葉
- 088 初対面の訪問客を出迎えるときの言葉
- 089 相手が取り次ぎだけを頼んできて名乗らない場合
- 090 取り次ぎを頼むばかりでアポイントの有無がわからない場合
- 091 アポイントなしで訪れた客が断るべきセールスだと判断したら
- 092 アポなしの客に不在を理由に断る場合の言い回し

応接室での接客
テスト14 ················ P.75
- 093 客にお茶を出すときの表現
- 094 応接室で待っていた初対面の客と顔を合わせたら
- 095 出向いてもらったことに対する礼を言う
- 096 世間話の切れ目を見て、用件に入るときの言い方
- 097 緊急の用事で中座しなければならないとき

交渉を終える
テスト15 ················ P.84
- 098 話が一通りすんで、切り上げたいとき
- 099 再び来てもらった礼を言う
- 100 客を見送り、別れ際にする挨拶

世間話／接待・パーティ
テスト16 ················ P.85
- 101 趣味のゴルフの話題をもちかける
- 102 自慢にしている子供をほめる
- 103 第三者の話題をもちかける
- 104 宴席を設けたいともちかけるときの言い回し
- 105 宴席やパーティで招待客を出迎えるときの言葉
- 106 客に飲み物の希望をたずねる言い回し
- 107 客に食べ物の好み、希望をたずねる言い回し
- 108 客にあたたかい料理を勧めるときの表現
- 109 宴席でお酒を勧められたときの答
- 110 お酒を飲めない人、または飲めない状況で勧められた場合
- 111 招待されたときの帰り際の挨拶
- 112 食事のあとになって支払いは持つと言われたときの返答

コラム❷
- ●身近だからこそ正しく使いたい丁寧語 ········ P.94
- ●好感を与えるていねいな表現と決まり文句 ··· P.96

第3章 "大人"のための電話会話術

電話に出て取り次ぐ
テスト17,18 ・・・・・・・・・・・・・・・・・・・・・・・・ P.100
- 113 電話を取って真っ先に言うべき言葉
- 114 先方が名乗ったときの応じ方
- 115 取り次ぎを頼まれたときの返事の仕方
- 116 内線などで呼び出した人に伝えるべきこと
- 117 自宅からの電話を取り次ぐ場合の言い方
- 118 受けた電話が自分宛だとわかったときの応対
- 119 先方が取り次ぎを頼むだけで名乗らない場合
- 120 先方の名前が聞き取れなかった場合の対処法
- 121 間違い電話がかかってきたときの応じ方
- 122 担当者を出してほしいという電話セールスへの応対
- 123 自分宛の電話を取り次いでもらったときの出方

不在の人宛の電話対応
テスト19,20 ・・・・・・・・・・・・・・・・・・・・・・・・ P.108
- 124 先方の話したい人が外出中である場合
- 125 何時頃に戻るのか聞かれたときの答え方
- 126 出張中の社員への電話があった場合
- 127 社内にいない人に急ぎの用があると言われた場合
- 128 休みを取っている人への電話の場合
- 129 取り次ぐ相手がほかの電話に出ている場合
- 130 たまたま席を離れているだけの場合
- 131 接客中で電話に出ることができない場合
- 132 ほかの電話や接客などが、いつ頃終わりそうか聞かれた場合
- 133 電話がかかっていると伝えた上司から「かけ直すと伝えてくれ」と言われた場合
- 134 先方から折り返しかけてほしいと言われたときの応じ方
- 135 先方の連絡先を確認しておくときのたずね方
- 136 連絡先を聞いたあとの対応の仕方
- 137 伝言を聞き、確認も終わったあとの挨拶
- 138 上司の家族に対して本人が外出中であると伝える場合

挨拶・取り次ぎの依頼
テスト21 ・・・・・・・・・・・・・・・・・・・・・・・・ P.118
- 139 仕事上の関係がある会社にかけた場合
- 140 相手がつかまらず、何度かけ直している場合
- 141 まだ取引のない会社にかけた場合の挨拶
- 142 話したい人への取り次ぎを頼む
- 143 仕事上の関係がない会社や店への問い合わせの電話
- 144 間違い電話だとわかった場合の対応の仕方

先方が不在の場合
テスト22 ・・・・・・・・・・・・・・・・・・・・・・・・ P.119
- 145 相手が外出から戻る時刻を知りたいときの質問の仕方
- 146 あとでかけ直すと伝えてもらう場合
- 147 電話があったことを伝えてもらう場合
- 148 戻ったら電話をしてほしいと伝言を残す場合
- 149 先方の戻る時刻が遅くなっても電話がほしい場合
- 150 緊急の用事があるから早く電話がほしいと伝言を頼む場合
- 151 用件を伝言として残したい場合の言い回し
- 152 伝言を受けた人の名前を確かめておきたい場合
- 153 伝言を受けてくれた人に挨拶して電話を切る

本人と話す
テスト23 ・・・・・・・・・・・・・・・・・・・・・・・・ P.128
- 154 話したい相手が電話口に出たときの挨拶
- 155 初めて電話する相手への自己紹介
- 156 用件に入る前に相手の都合を確かめる
- 157 書類などを見てくれたか確認して話を進めたい場合
- 158 面会したいと申し入れる言い回し
- 159 面識のない相手に挨拶に行く場合
- 160 アポイントが取れたあと、電話を切る前に
- 161 電話をもらった相手に折り返しかける場合

自社への電話
テスト24 ・・・・・・・・・・・・・・・・・・・・・・・・ P.129
- 162 受話器を取った人にまず言うべきこと
- 163 上司への取り次ぎを頼む言い回し
- 164 外出先から遅くなると上司に連絡するとき
- 165 用事が長引き、そのまま帰りたい場合
- 166 外出中に電話などがなかったか確認する表現
- 167 朝、病欠すると上司に伝えるときの言い回し
- 168 朝、身内の弔事などで休みを取ると連絡する場合

コラム❸
- ●敬語を話すときには人の呼び方にも気をつける・・・・・・・・・・ P.138
- ●日にちや時間、場所をあらわす正しい言葉遣い・・・・・・・・・・ P.140

第4章 ピンチのときのSOS敬語

トラブルが発生したとき
テスト25 ······················· P.144
- 169 先方が以前とまったく違う話を無理に押しつけてきた場合
- 170 非常識なやり方をされて抗議したいとき
- 171 問題点が解消するように対処を促す言い回し
- 172 商談がこじれ、軌道修正がきかなくなった場合
- 173 トラブルの内容を上司に報告し、判断を仰ぐ
- 174 急な用事とアポイントが重なってしまった場合

ミスしたとき
テスト26 ······················· P.145
- 175 うっかりミスを上司に指摘されたときの謝り方
- 176 提出した書類のミスを上司に指摘された場合
- 177 大きなミスをして上司に大目玉をくらったとき
- 178 ミスの影響が上司や会社全体に及ぶことを謝る
- 179 初対面の人と会うのに名刺を忘れてしまったとき

クレームへの対応
テスト27 ······················· P.152
- 180 こちらの不手際への苦情が一段落したら
- 181 事実関係の整理や確認をして連絡すると伝える
- 182 自分では対処しきれないまたは担当以外のクレーム
- 183 相手の言い分を認め、二度と繰り返さないと約束する
- 184 相手の非常識な要求をつっぱねる

角の立たない断り方
テスト28 ······················· P.153
- 185 上司から休日の遊びにつきあえと言われたとき
- 186 見合いするようにと勧められ断りたいとき

気の利いたとっさの対応
テスト29 ······················· P.158
- 187 受け取った名刺の名前の読み方がわからない！
- 188 電話の相手の名前を聞き直したのに、まだ聞き取れない！
- 189 電話が遠くて先方の声が聞き取れない！
- 190 悪質な電話セールスをきっぱりと断りたい場合
- 191 訪問先で突然トイレに行きたくなった！
- 192 上司に特別なお願いがあるとき

遅刻・早退・欠勤するとき
テスト30,31 ··················· P.159
- 193 会社に遅刻したときに上司に言うべき言葉
- 194 アポイントに遅刻しそうになったときの電話連絡
- 195 アポイントに遅刻して着いたときの謝り方
- 196 体の具合が悪くなって早退したい場合
- 197 家庭の事情で休みを取る必要にられた場合

◆

"大人"を印象づけるビジネス文書
- ◆ビジネス文書の基本フォーマット ······P.166
- ◆ビジネス文書の基本形 ················P.167
- ◆頭語と時候の挨拶のポイント ·········P.168
- ◆用件を確実に伝えるポイント ·········P.170
- ◆封筒の宛名書きの基本形 ············P.172
- ◆Eメールの基本ルール ················P.174

第1章

職場の ルーティン会話術

◆

敬語なら「ですます調」で十分だと思っていると、かならずや痛い目にあう。上司への挨拶や返事の仕方、取引先との口の利き方など、相手や状況に応じて使い分けたい。せめて日常的に使う言い回しは、一日の流れに沿って頭に刻んでおきたいものだ。

> 総合宣伝部の島田です

> 殺伐とした昨今だからこそ、正しい言葉遣いをするよう意識的に取り組む姿勢が必要だと思います

第 **1** 章

東西電産東京本社

【午前中①:朝の伝達事項】

テスト 1　上司の島田が部下の香川に、取引先への同行を求める

香川…(　……　無言　)
　　　※朝、上司と顔を合わせたときの挨拶→答は**001**へ

島田…おはよう、香川君。今日は早く出社して仕事してたの。

香川…はい。本日の会議に備えて、もう一度資料に目を通しておきたいと
　　　思いまして。

島田…そうか、そうか。会議は10時からだったな。
　　　ああ、ところで香川君、午後は外出する予定はあるの。

香川…いいえ、とくにございません。

島田…それなら、3時に中田興業に行くから、同行してくれないか。

香川…(　えっ、中田興業ですか？　あそこの担当者は……　)
　　　※訪問先と約束の時刻、準備の必要性などを確認する言い回し→答は**011**へ

島田…いや、今日は顔合わせだから、とくにないよ。

テスト 2　上司の島田が部下の二見に、仕事の進捗をたずねる

島田…二見君、ちょっと来てくれるかな。

二見…はい、課長。(　何ですか。　)
　　　※上司に呼ばれたときの返事の仕方→答は**002**へ

島田…先週頼んだ企画書、急がせて悪いんだが、できれば明日にでも
　　　出してくれないかな。ちょっと状況が変わってね。

二見…そちらでしたら、ほぼできあがっております。
　　　お急ぎでしたら、本日の午後にでもお目通しいただけますが。

島田…そうか、それはありがたいな。
　　　ところで今、君が進めている文化村のほうはどうなってる?

二見…(　全然大丈夫ですよ。　)
　　　※うまくいっていることを伝える→答は**003**へ

第 1 章

テスト2のシーン

はい、課長

二見君、ちょっと来てくれるかな

今、君が進めている文化村のほうはどうなってる?

→答は003へ

全然大丈夫ですよ

【午前中①:朝の伝達事項】　ふだん言葉

001

朝いちばんの
出社時の挨拶

……（無言）　▶ ▶ ▶ ▶ ▶ ▶ ▶ ▶

002

上司に呼ばれたときの
返事の仕方

何ですか。　▶ ▶ ▶ ▶ ▶ ▶ ▶ ▶

003

仕事の進行に問題は
ないかと聞かれたら
（問題がない場合）

全然大丈夫ですよ。　▶ ▶ ▶ ▶ ▶ ▶

004

上司からその日の
外出予定を聞かれたら

そうですね、今日は午後に1件、
アポが入ってますけど。　▶ ▶ ▶

第1章 ていねい言葉

▶▶▶ おはようございます。

Point! 朝、出社して上司や先輩、同僚と顔を合わせたときはまず挨拶を。口のなかで、もごもご言うのではなく、明るくはっきりと。最近、挨拶ができない人が目立つ。

▶▶▶ はい、ただ今まいります。

Point! 呼ばれたら、すぐこのように返事をして上司のところへ行くのが正しい。席についたまま「何ですか」と聞くようでは、まだまだ社会人として半人前だ。「ただ今まいります」は「今行きます」の敬語表現。

▶▶▶ すべて順調に進んでおります。

Point! 「全然大丈夫」は正しい日本語ではない。いうまでもなく「全然OKです」という言い方もNG。仕事の進行状況を把握するのは上司の役目なので、余計な言葉は挟まず、謙虚に答えよう。

▶▶▶ 本日は2時に中田興業にまいる予定です。

Point! 「午後に1件、アポが入っている」では答えになっていない。時刻と外出先を具体的に、かつていねいに答えるようにすることだ。

【午前中①:朝の伝達事項】　ふ　だ　ん　言　葉

005

上司から仕事の指示を
受けたときの返事

は〜い。　▶ ▶ ▶ ▶ ▶ ▶ ▶ ▶ ▶ ▶

006

上司の指示が
よくわからないときの
応じ方

えっ、どういうことですか。
よくわからなかったんですけど。　▶ ▶ ▶

007

上司が指示した内容を
復唱して確認する場合

じゃあ、この資料を30部
コピーしておけばいいですね。　▶ ▶ ▶

ていねい言葉

第1章

▶▶▶ はい、かしこまりました。

Point! 礼儀を重んずる人には「かしこまりました」と答えたほうがいい。「承知いたしました」という言い方もよく使われる。「やっときます」は失礼。「すぐにやる」なら「早速とりかかります」と言うことだ。

▶▶▶ 申し訳ございません。
もう一度ご説明いただけますか。

Point! わからないということを伝えるのではなく、再度説明してほしいとお願いしたほうが、角が立たなくてすむ。あくまでていねいな言い回しをすることだ。

▶▶▶ こちらの資料を2時の会議までに
30部コピーしてご用意する、
ということでよろしいでしょうか。

Point! 上司の説明が長くてわかりにくかった場合など、念のため要点をまとめて確認をとっておくと安心だ。「この」は「こちら」に、「いい」は「よろしい」と置き換えるのがポイント。

よし！少し早いけどはじめようか！！

【午前中①:朝の伝達事項】　　ふだん言葉

008

上司が書類を見るように
と差し出したとき

それ何ですか、
見せてください。　▶ ▶ ▶ ▶ ▶ ▶ ▶

009

上司と打ち合わせを
したいとき

例の件で
ちょっと話があるんですけど、　▶ ▶ ▶ ▶ ▶
時間はありますか。

010

上司から
打ち合わせなどの
指示を受けた場合

え〜と、ちょっと待ってください。　▶ ▶ ▶
11時ですね……、空いてます。

011

上司からその日の
商談に同行するように
言われた場合

えっ、中田興業ですか？
あそこの担当者は　　　　▶ ▶ ▶ ▶ ▶
気難しいっていう噂ですよ。

第1章 ていねい言葉

▶▶▶ 拝見します。

Point!
「拝見する」は「見る」の謙譲語。自分が何かを「見る」ときには、この言葉を使おう。「読む」の謙譲語「拝読する」を使って、「拝読します」という言い方をしてもいい。

▶▶▶ お忙しいところ申し訳ありません。
ABC企画との契約の件で
ご相談があるのですが、
20分ほどお時間をいただけますか。

Point!
「例の件」ではわかりにくい。上司がスケジュールに組み入れやすいように、およその所要時間も伝えよう。多忙な上司には「お忙しいところ申し訳ありません」と前置きをすることも忘れないように。

▶▶▶ 承知いたしました。
11時に2階の会議室にまいります。

Point!
上司を待たせておいて、自分の予定が空いているかどうか確かめるのは不遜な態度。その日のスケジュールを頭に入れておくことは最低限のルールだ。

▶▶▶ 中田興業との3時のお約束ですね。
かしこまりました。
何か準備しておくことは
ございますか。

Point!
取引先のよくない評判などを軽々しく口にするようでは、信頼は得られない。上司の指示は低姿勢で受けとめ、準備の必要性など気配りを見せる。

【午前中②:打ち合わせに入る】

テスト 3 自社の商品ポスターについて、社内で話し合う

島田…この新しいポスターについて、意見を聞かせてくれ。
　　　口紅の色だけ蛍光色を使おうと思っている。
ボブ…このポスターと東西電産アメリカのCMとが、
　　　どう結びつくのかが気になります。
島田…イメージだよ、イメージ！
　　　東西電産の商品が写真のなかになくなったっていいんだよ。
　　　企業全体のアピールさ。
アイリーン…(本当にそうですよね。)
　　　※上司(課長)に同意をあらわす言い回し→答は**015**へ

テスト3のシーン

【昼食：上司に同伴する】

第1章

テスト 4　上司の島田が部下の田中を昼食に誘う

島田…ということで、この件は君が処理しておいてくれ。よろしく頼む。
　　　さてと、田中君、たまには外で一緒に昼飯でもどうだ？

田中…（はあ、そうですね、いいですよ。）
　　　※喜んで行くという意味を伝える→答は**021**へ

―――**オフィスから外へ**

島田…君はふだんは社員食堂で食べてるのか。

田中…はい、時間もかかりませんし、経済的ですので。

　　　ところで課長、（今日は何にしますか。）
　　　※店を決めるために「何を食べたいか」と質問する→答は**022**へ

島田…そうだな、今回は君に助けられたから、うなぎでもおごるよ。

田中…ありがとうございます。恐縮です。

▶▶

東西電産の商品が
写真のなかに
なくったっていいんだよ。
企業全体のアピールさ

それだけ

イメージだよ、
イメージ！

→答は**015**へ

本当に
そうですよね

【午前中②:打ち合わせに入る】 ふだん言葉

012

廊下などで社員と顔を合わせたときの挨拶

あっ、どうも……。 ▶ ▶ ▶ ▶ ▶ ▶

013

会議室などに入るとき

……（無言） ▶ ▶ ▶ ▶ ▶ ▶ ▶

014

会議で発言の許可を求めたいとき

ちょっといいですか。 ▶ ▶ ▶ ▶ ▶ ▶

015

上司の発言に対する同意をあらわす言い回し

本当にそうですよね。 ▶ ▶ ▶ ▶ ▶ ▶

ていねい言葉

第1章

お疲れさまです。

Point!
会釈をして「お疲れさまです」と言うのが、社内での基本的な挨拶。もちろん廊下だけでなく、自分の所属する部署で顔を合わせたときも同じことだ。

失礼いたします。

Point!
誰が先に来ているかは入ってみなければわからない。早めに着いた場合でも、たとえドアが開いていたとしても、「失礼いたします」と言うように習慣づけておくといい。

発言してよろしいでしょうか。

Point!
それまで黙って聞いていた新人が、唐突に発言するのは考えもの。重要事項を決める会議に「ちょっといいですか」はふさわしくない。「よろしいでしょうか」くらいは言いたいものだ。

課長のおっしゃる通りだと思います。

Point!
ていねいに話そうとして「言う」の尊敬語を「おっしゃられる」にする人がいるが、それでは二重敬語。敬語を重ねる必要はなく、「おっしゃる」というのが正しい言い方。

【午前中②:打ち合わせに入る】 ふ だ ん 言 葉

016
ほかの人に対して
反論するときの
言い回し

そんなこと言いますけど、
デザインがいまひとつだってことは、
マーケットリサーチでも
出てるんですよ。 ▶▶

017
発言をしめくくり、
説明が十分だったかと
たずねる

だから、新しいやり方を
取り入れたほうがいいと思うんです。
わかりましたか。 ▶▶

018
進行役を務めて、
出席者に意見交換を
求める場合

両方ともいいところは
あるようですけど、どうですか。 ▶▶▶▶

2案ともに、それぞれ利点が
あるかと思いますが、ここは
ひとつに絞らなければなりません。
いかがお考えでしょうか

ていねい言葉

第1章

▶▶▶ おっしゃることは
ごもっともだと思いますが、
デザインにつきましては、
マーケットリサーチでも
芳しくない評価が出ておりまして。

Point!
頭から相手の意見を否定するような言い方をするのは逆効果だ。発言の趣旨を了解していると伝えたうえで、あくまでもていねいな表現で返すこと。

▶▶▶ このように、新たな手法を
取り入れることで、訴求効果は
確実に高まります。
ご理解いただけましたでしょうか。

Point!
「わかりましたか」「理解できましたか」などという聞き方をすると、相手の理解力を疑っているように聞こえかねない。気分を害されては損するだけなので、くれぐれも注意しよう。

▶▶▶ A案、B案ともに、それぞれ
利点があるかと思いますが、
いかがお考えになられますか。

Point!
ほかの人に意見を求めるときは、「どうですか」ではなく、「いかがお考えになられますか」「いかが思われますか」「いかがでしょうか」といった言い方がベストだ。

この形を取り入れることで、問題は解決されます

【午前中②:打ち合わせに入る】
【昼食:上司に同伴する】

ふだん言葉

019
打ち合わせで、懸案事項について確認するとき

この前の企画書、見てくれましたか。　▶ ▶ ▶ ▶ ▶ ▶

020
自分の提案が採用され、上司から激励されたとき

ええ、できるだけやってみます。　▶ ▶ ▶ ▶ ▶ ▶

021
上司から昼食に行こうと誘われたとき

はあ、そうですね、いいですよ。　▶ ▶ ▶ ▶ ▶ ▶ ▶

022
店を決めるために何を食べたいかと上司に聞く場合

今日は何にしますか。　▶ ▶ ▶ ▶ ▶ ▶

第1章 ていねい言葉

▶ ▶ ▶ 先日お出しした企画書について、
ご検討いただけたでしょうか。

Point! 気にかかっていることであっても、せっつくような言い方はしない。いくら自信を持って出した企画書でも、聞き方が悪いと上司の気分を害することになる。

▶ ▶ ▶ ありがとうございます。
ご期待に添えるようがんばります。

Point! 「何とかがんばってみます」「できるだけやってみます」といった答え方では心許ない。上司に期待されたら、それに応えられるようにがんばるという姿勢を示すことだ。

▶ ▶ ▶ はい、
ぜひご一緒させてください。

Point! 「ご一緒させてください」という言い方をするのがポイント。時折「ご一緒します」という人がいるが、上司と同じ立場の表現になってしまうので避けたい。

▶ ▶ ▶ 本日は何を召し上がりますか。

Point! 「召し上がる」は「食べる」の尊敬語。「何を食べたいですか」という言い方も不十分。「何を召し上がりますか」がいい。

【昼食:上司に同伴する】　　ふだん言葉

023

テーブルにつき、
何を頼むか決まったかと
上司に聞かれた場合

そうですねえ、
僕はA定食をお願いします。　▶ ▶ ▶ ▶

024

上司の好きな
プロ野球チームの
話題をふる

ここんとこ、巨人はずっと
勝ち続けてるみたいですね。　▶ ▶ ▶ ▶

025

カラオケ好きの上司に
音楽の話題をもちかける

課長はカラオケが好きだって
評判ですけど、いつもはどんな
音楽を聞いてるんですか。　▶ ▶ ▶

026

業界の情報を
知っているかとたずねる

課長、知ってますか。
驚いたことに、あのフリーポート社が
ボブ・ホワイトのイラストを
採用するらしいですよ。　▶ ▶

ていねい言葉

第1章

わたくしはA定食にいたします。

Point! 店の人への注文なら「お願いします」でいいが、上司にこう答えると、おごってくれと聞こえる。迷ったときは、022を活用して「そうですね、課長は何を召し上がりますか」などと聞いてみるのも手。

昨夜も巨人軍はみごとな勝利をおさめたそうですね。

Point! 昼時の世間話とはいえ、やはり相手は上司なのだから、言葉遣いに注意することだ。上司の好きなスポーツやチームを覚えておいて、話題をふるようにするといい。

課長はすばらしい喉をお持ちだと伺いましたが、ふだんはどういった音楽を聞かれるのですか。

Point! 時には上司をおだてることも必要。ほめ言葉を挟んで問いかけるようにすると、会話もスムーズに進むだろう。

課長、ご存じですか。フリーポート社がボブ・ホワイトのイラストを採用するという話です。

Point! たとえ評判の悪い相手でも、変な私情をまじえずに話すのが大人。上司が知っていそうな話については、「ご存じですか」ではなく「お聞き及びとは思いますが」と前置きするといい。

【午後①:外出する】

テスト 5　部下の小山が外出する／外出先から戻ってくる

小山…課長、十和田企画からお荷物が届いております。

島田…そうか、ありがとう。

小山…（じゃあ、ちょっと行ってきま〜す。）
　　　※外出するときに伝えておくべき言葉→答は**027**へ

島田…そうか、よろしく頼むよ。

――**外出から戻って**

小山…（ただいま！）
　　　※出先から戻って上司にする挨拶→答は**030**へ

島田…ああ、お疲れさま。

小山…（いやあ、長引いちゃって大変でしたよ。何かありましたか。）
　　　※予定の帰社時間より遅くなった場合に言うべき言葉。
　　　　その間に何もなかったかどうかも確認する→答は**031**へ

テスト6のシーン

→答は**037**へ

【午後②：上司の外出】

> **テスト 6** 上司の島田が外出先から戻って、部下の橘と話す

島田…ただいま。

橘……（ああ、どうも、どうも。）いかがでしたか。
　　　※上司が外出から戻ったときの挨拶→答は**037**へ

島田…うん、人前で演説するのは、どうも好きになれないな。
　　　疲れたよ。何か電話は？

橘……（さっき、なんとかというショールームから電話があって……）
　　　※電話をしてきた相手と伝言を伝える→答は**038**へ

島田…銀座ショールーム？　あそこの所長なら一度会ったが、
　　　直接連絡してくるなんて、何かあったのかな。

橘……それから（課長が出かけたあとで、磯辺とかいう人が……）
　　　※留守中の来客について伝える→答は**039**へ

島田…そうか、ありがとう。

うん、人前で演説するのは、どうも好きになれないな。疲れたよ

何か電話は？

→答は**038**へ

さっき、なんとかというショールームから電話があって……

29

【午後①:外出する】　　ふ だ ん 言 葉

027
取引先に出かけるとき、上司に対して

じゃあ、
ちょっと行ってきま～す。　▶ ▶ ▶ ▶ ▶

028
上司に同行して外出する際に自分から声をかける場合

課長、
そろそろ行きますか。　▶ ▶ ▶ ▶ ▶

029
上司と取引先に出かけるのに、交通手段をたずねる場合

タクシーにしますか、
それとも電車にしますか?
この時間だと、けっこう道が混むから、　▶ ▶
電車のほうが確実かもしれませんよ。

030
外出から戻ったら
(予定していた時間通りに戻った場合)

ただいま!　▶ ▶ ▶ ▶ ▶ ▶ ▶ ▶ ▶

ていねい言葉

第1章

▶▶▶ では、銀座ショールームに行ってまいります。帰社は4時の予定です。

Point! 「行ってきま〜す」では、会社では通用しない。正しくは「行ってまいります」。行き先と戻りの予定時刻もきちんと伝えたい。

▶▶▶ 課長、そろそろいらっしゃいますか。

Point! 「まいりましょうか」という人がいるが、それでは上司にも謙譲語を使うことになるので正しくない。尊敬語の「いらっしゃいますか」を使うほうがいい。

▶▶▶ タクシーと電車のどちらになさいますか。この時間帯ですと、道は渋滞の心配もございますが。

Point! 一緒に行くという意識でいると、いい加減な敬語になりがち。上司の希望をたずねる形にしたほうがいい。道の混み具合なども情報として伝える言い方にして、出過ぎないように。

▶▶▶ ただいま戻ってまいりました。

Point! 無言で入ってくるよりはいいが、家ではないので「ただいま!」はあまり勧められない。外から戻ったら、すぐに上司に報告を入れることも忘れないように。

【午後①:外出する】　　ふ だ ん 言 葉

031
外出から戻るのが
予定より遅くなった場合

いやあ、長引いちゃって
大変でしたよ。何かありましたか。　▶ ▶ ▶

032
上司や先輩から
留守中に電話があった
と伝えられた場合

あっ、そうですか。　▶ ▶ ▶ ▶ ▶ ▶

033
商談の成果を報告する
（うまくいきそうな場合）

なかなかいい感じに
話が進んでます。
うまくいきそうですよ。　▶ ▶ ▶ ▶ ▶

やっと、これで
ひと段落か……

第1章 ていねい言葉

▶▶▶ 遅くなりまして申し訳ございません。
わたくし宛に連絡などが
入っておりますでしょうか。

Point! 相手の都合で遅くなったとしても、自分の不在で仕事に支障をきたしていないか気を配る姿勢が大切。また、外出が予定より長引いた場合は、会社に戻る前に電話を入れて報告しておくのが常識だ。

▶▶▶ ありがとうございます。

Point! まずはきちんとお礼を言うこと。代わりに対応してくれた場合などは、ただ伝言を受けるだけでなく、「お手数をおかけして、申し訳ございません」と言うように。

▶▶▶ おかげさまで大変スムーズに
話が進みまして、前向きに
ご検討くださるとのことでした。

Point! 「うまくいきそう」という自分の感触ではなく、相手がどう反応したのかを伝えたほうがいい。取引先に対して、きちんと敬語を用いることも忘れずに。

ふう
ずいぶん降るな……

| 【午後①:外出する】【午後②:上司の外出】 | ふだん言葉 |

034

商談の結果を報告する
（うまくいかなかった場合）

まいっちゃいました。
今は厳しい状況だから
ダメだって断られました。 ▶ ▶ ▶ ▶ ▶

035

商談の答が出る
時期を伝える

今週のうちに答を出すからって
言われましたけど。 ▶ ▶ ▶

036

外出する上司に対して
かける言葉

じゃ、またあとで……。 ▶ ▶ ▶ ▶ ▶ ▶

037

上司が外出から
戻ったときの挨拶

ああ、
どうも、どうも。 ▶ ▶ ▶ ▶ ▶ ▶ ▶

第1章 ていねい言葉

▶▶▶ 今期については、
新規の契約はいただけない
というお返事でした。
予算のご都合とのことです。

Point! 断られた場合は、なおさら一人前の大人らしい報告をすることが大切になる。理由を挙げて説明しなければならない。

▶▶▶ 今週中に最終的なお返事を
いただけるとのことです。

Point! その場にいないからといって、商談の相手を軽んじるような口の利き方は慎むことだ。日頃から気をつけていれば、商談に臨んだときにも自然と正しい敬語を使えるようになる。

▶▶▶ 行ってらっしゃい。

Point! 無言のままちょっと頭を下げるのも失礼。外出する上司には、きちんと声を出して挨拶する。「どうぞお気をつけて」と言い添えてもいい。

▶▶▶ お帰りなさい。
お疲れさまです。

Point! 外から戻った人を迎える言葉は、家と同じく「お帰りなさい」でOK。日常の挨拶「お疲れさまです」を言い添えられれば完璧。

【午後②:上司の外出】　　ふ だ ん 言 葉

038
留守中の電話について伝える

さっき、なんとかというショールームから電話があって、「戻ったら電話ください」って言ってましたよ。

039
留守中の来客について伝える

課長が出かけたあとで、磯辺とかいう人が来て、名刺を置いていきました。また来るって話でした。

040
留守中に部長が呼んでいたと課長に伝える

ああ課長、そういえば、さっき部長が呼んでたみたいですけど。

041
留守中に言付かった連絡事項はないと伝える

変わったことは別になかったと思いますけど……。

ていねい言葉

第1章

▶▶▶ 銀座ショールームの所長から3時過ぎにお電話がありました。お戻りになられたら、ご連絡をいただきたいと言付かっております。

Point! 会社名または部署名、氏名、時刻、内容を伝えること。先方の言葉をそのまま引用すると、敬意を欠いたように聞こえかねないので注意。最後は「〜と言付かっております」「〜とのことです」で締めくくる。

▶▶▶ ハート企画の磯辺様とおっしゃる方が、2時間ほど前にお見えになりまして、名刺をお預かりしました。日を改めてご挨拶にいらっしゃるとのことです。

Point! 来客についても電話の伝言と同じように、会社名、氏名、時刻、内容などを伝えるのが基本。先方と上司の両方に敬意をあらわす表現で。

▶▶▶ 課長、部長がお呼びです。30分ほど前に、戻られたらおいで願いたいとおっしゃっていました。

Point! 伝言を伝えるのに「そういえば」「〜みたいですけど」などと言うようでは社会人失格。上司に対して、直属の上司のことを伝える場合は、双方に対してきちんと敬語を使う。

▶▶▶ 電話や来客はございませんでした。

Point! 「別になかったと思う」という言い方では、いかにも頼りない。明快な答が望まれるところだ。「電話か何かあったか」と聞かれたときは、「ございませんでした」とだけ答えればOK。

【午後③:上司への質問・報告】

> テスト 7　部長の大川と部下の島田が、商談成立について話す

大川…うまくいったな。

島田…（やった、やりましたよ！　ホントうまくいきましたね。）
　　　※上司あってこその成功だと表現する→答は046へ

大川…そこで今後のことについて話したいんだが、

　　　今晩ちょっとつきあわないか。いい店があってね。

島田…（あっ、いいですね。行きましょうよ。）
　　　※上司に誘われたときの言い回し→答は055へ

テスト7のシーン

うまくいったな

→答は046へ

やった、やりましたよ！ホントうまくいきましたね

【アフターファイブ】

> **テスト 8** 部下の原田と鈴木に、上司の島田が残業を頼む

島田…ああ、もうこんな時間か。原田君、悪いが今日はちょっと
　　　残業してくれないか。2、3時間で片づくと思う。

原田…(残業ですか、別にいいですけど。)
　　　※残業を含めて仕事を頼まれたときの一般的な返答→答は**050**へ

島田…じゃあ、まず例の件の資料を持ってきてくれ。
　　　早く片づいたら、晩飯でもおごるよ。

原田…ありがとうございます。

―――**しばらくのち**

鈴木…課長、例の件につきまして報告書ができあがりました。
　　　(今日はもう帰ってもいいですか。)
　　　※上司より先に帰る許可を求める表現→答は**052**へ

島田…ああ、ここは原田君と私で大丈夫だから帰っていいよ。

鈴木…お役に立てず、申し訳ございません。
　　　(じゃあ、帰りま～す。)
　　　※上司より先に帰るときの挨拶→答は**053**へ

島田…ああ、お疲れさま。

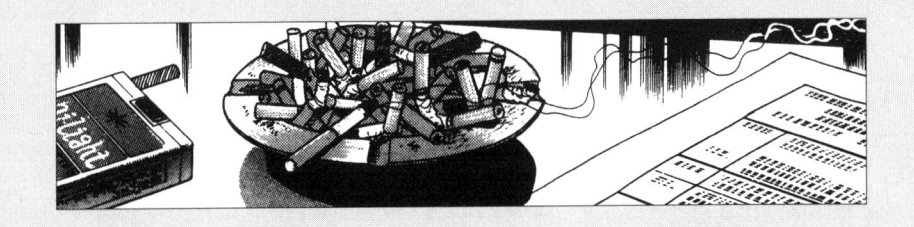

【午後③:上司への質問・報告】 ふだん言葉

042
質問があるときの話しかけ方

すみません、ちょっとわからないことがあるんですけど、いいですか。 ▶▶▶▶▶

043
簡単な質問をするときの言い回し

あの、見積書の書き方でよくわからないところがあるんですが。 ▶▶▶▶▶

044
相談や報告があるときの切り出し方

あの、ちょっと話したいことがあるんですけど……。 ▶▶▶▶▶

045
書類を提出するときに言う言葉

あの、これが前に言ってた企画書で〜す。 ▶▶▶▶▶

ていねい言葉

第1章

▶▶▶ 恐れ入ります。
少々伺いたいことがあるのですが、
よろしいでしょうか。

Point!
上司の仕事を中断させることになるので、きちんと断りを入れること。「聞く」の謙譲語「伺う」を使い、「いい」は「よろしい」に置き換える。

▶▶▶ お忙しいところ申し訳ありません。
見積書の書き方について
教えていただけますか。

Point!
簡単な質問なら、前置きをしたあとですぐに聞くという手もある。「お忙しいところ申し訳ありません(ございません)」という言い回しは、活用範囲が広いのでスムーズに出るように練習しておくといい。

▶▶▶ 今、お時間よろしいでしょうか。
お話ししたいことがございまして。

Point!
「お時間よろしいでしょうか」と上司の都合をたずねるのが正しい。忙しいからあとにしてくれと言われた場合は、「いつごろでしたら、よろしいでしょうか」と聞く。

▶▶▶ 企画書ができあがりましたので、
ご覧いただけますか。

Point!
「お目通しいただけますか」という言い方もできる。提出したものを見てもらって承認を求めるときは、「こちらでいかがでしょうか」という聞き方がスマートだ。

【午後③:上司への質問・報告】 ふ だ ん 言 葉

046
仕事の成功を報告する場合

やった、やりましたよ！
ホントうまくいきましたね。 ▶ ▶ ▶ ▶ ▶

047
商談相手から断りの返事がきたと報告する場合

今、松山から電話があって、
結局ダメでした。 ▶ ▶ ▶ ▶ ▶

048
仕事が期限までに間に合いそうにないとき

すみません。
企画書と資料、もう少し期限を
のばしてくれませんか。 ▶ ▶ ▶ ▶ ▶

049
翌朝、取引先に直行する場合

明日はABC企画に直行するんで、
会社に来るのは10時半くらいに
なると思います。 ▶ ▶ ▶

ていねい言葉

第1章

▶▶▶ 部長のお力添えのおかげで、成功いたしました。

Point! 自分ひとりの手柄のようにふるまうのではなく、上司の指導あってのことと考えて、相手をたてる表現をするのがサラリーマンの鉄則だ。

▶▶▶ ただいま松山から連絡がございまして、残念ながら今回は見送らせていただくとのことでした。

Point! 結論を言う前に「残念ながら」と前置きすることで、上司にも先が予測できる。クッションの役割をする言葉を身につけておけば、対外交渉にも役立つはずだ。

▶▶▶ 申し訳ございません。企画書と資料の件ですが、木曜まで期限をのばしていただけないでしょうか。

Point! 期限までに仕事を仕上げられないのは自分の落ち度なので、「〜していただけないでしょうか」と、低姿勢でていねいにお願いするのが常識だろう。

▶▶▶ 明朝は9時にABC企画とお約束がありますので、直接まいることにしてよろしいでしょうか。出社は10時半の予定です。

Point! 午前中のアポイントがある場合、きちんとそれを報告してから、直行する許可を取るのが社会人のマナーだ。

[アフターファイブ]　　　ふ だ ん 言 葉

050

残業を命じられたときの返事の仕方

残業ですか、別にいいですけど。　▶ ▶ ▶

051

残業を断らざるをえない事情がある場合

すみません。今日はちょっと用事があるんでダメですねえ。　▶ ▶ ▶ ▶

052

用事があって上司より先に帰りたいとき

今日はもう帰ってもいいですか。　▶ ▶ ▶

お疲れさまです！

て い ね い 言 葉

第1章

▶▶▶ 承知いたしました。

Point!
「別にいいですけど」などと答えると、偉そうに聞こえるので注意。「残業してくれないか」という聞き方をされた場合なら、「かまいません」という答え方も使える。

▶▶▶ 申し訳ございません。
本日はどうしてもはずせない
用事がございまして。

Point!
「お役に立てず、申し訳ございません」という謝り方も覚えておくといいだろう。「できない」という言い方をせず、理由を挙げたほうが、角が立ちにくい。ただし、「合コンがあるから」では、理由にならない。

▶▶▶ 差し支えなければ、
本日は帰らせていただいても
よろしいでしょうか。

Point!
終業時間になったからといって、上司に何も言わずに、そそくさと帰るようでは社会人失格。上司が残業をしているときは、声をかける程度のことはしたい。

【アフターファイブ】　　ふ だ ん 言 葉

053

上司や先輩より
先に帰宅するときの
帰り際の挨拶

じゃあ、帰りま〜す。　▶ ▶ ▶ ▶ ▶ ▶ ▶

054

帰宅しようとしている
上司に対する挨拶

ああ、どうも。　▶ ▶ ▶ ▶ ▶ ▶ ▶

055

上司から
「飲みに行こう」と
誘われたときの返事

あっ、いいですね。
行きましょうよ。　▶ ▶ ▶ ▶ ▶ ▶

056

上司の酒の誘いを
断らざるをえない場合

えっ、これから行くんですか？
うーん、今日はちょっと　　▶ ▶ ▶ ▶ ▶
無理ですね。

ていねい言葉

第1章

▶▶▶ お先に失礼させていただきます。

Point!
残業している人に配慮して、会釈しながら「お先に失礼させていただきます」という挨拶は忘れないように。

▶▶▶ お疲れさまです。

Point!
上司が「じゃ、また明日」と言った場合でも、「ああ、どうも」と言葉を返すようでは、まだまだ子供。ここでも社内での一般的な挨拶「お疲れさまです」を活用する。

▶▶▶ 喜んでお供させていただきます。

Point!
「いいですね」「行きましょう」といった言い方では、上司と自分が同じ立場になっている。仕事が終わっても上司と部下の関係は変わらないことを肝に銘じておくことだ。

▶▶▶ ありがたいのですが、
残念なことに少々はずせない
用事がありまして。この次は、
ぜひよろしくお願いします。

Point!
残業を断るとき同様、「無理」「できない」といった表現は使わず、用事があると言って言葉を濁すのが常道。お礼を言いつつ、次につなげるような表現を言い添えるといい。

column
コラム❶

尊敬語と謙譲語は
社会人必須のツール

　上司に対して友達同士のような表現を使っておきながら、最後だけ「です」「ます」で終わらせ、涼しい顔をしている人がいる。これでは敬意が伝わるどころか、立場をわきまえられない無礼者か、社会人として自覚の乏しい子供だと思われても仕方がない。

　たしかに、「です」「ます」は敬語のひとつ、丁寧語だが、敬語にはほかに尊敬語と謙譲語がある。これらすべてを使いこなせてこそ、ビジネスにふさわしい言葉遣いなのだ（丁寧語については94ページのコラムを参照のこと）。

　ていねいな言い回しは、堅苦しくて他人行儀な感じがするという人もいるが、尊敬語、謙譲語は決してもったいぶるための表現ではない。さりげなく使えば上品さがアップし、好印象を与えることができる。

　たとえば、「知っていますか」は「ご存じですか」、「もらいます」は「いただきます」。これらの語感を比べてみれば、違いは歴然だろう。

✓ 尊敬語ってナンだ？

　尊敬語とは、ひと言でいえば相手を一段上に持ち上げることで敬意をあらわした表現。一般的には目上の人、自分よりも地位の高い人に対する言葉であり、ビジネスの場では上司のほか、取引先をはじめとする社外の人などに幅広く用いられる。相手の行動や状態を表現する場合に使われる。

　「言う」を「おっしゃる」と違う言葉に転換するタイプ（転換形式）と、「聞く」を「お聞きになる」というように語の前後に何かをつけるタイプ（付加形式）がある。

✓ 謙譲語ってナンだ？

自分が相手から一段へりくだることで相手を高めるのが謙譲語だ。自分の行動や状態、自分の身内のことを謙遜することによって、間接的に相手への敬意を示す。

一般的には自分と家族、ビジネスの場では自分と身内に対して用いる。尊敬語と同様に、「行く」を「伺う」と違う言葉に転換するタイプと、「説明する」を「ご説明します」と言葉の前後に何かを付加するタイプがある。

✓ 使い方の基本ルールはカンタン！

尊敬語と謙譲語の使い分けは、話す相手と状況によって変わる。たとえば、社内では上司に尊敬語を使うが、取引先で上司の話をするときには謙譲語を使う。

会社の内と外で線を引き、外の人に対しては社内の人は身内として扱うのがルールだ。ただし、上司の家族と話すときは、上司は家族の側として考えるので尊敬語を使う。以下に尊敬語と謙譲語の使い分けをまとめておこう。

社内での上司との会話	・自分のこと→**謙譲語** ・相手のこと→**尊敬語** ・ほかの上司のこと→**尊敬語** ・取引先のこと→**尊敬語**
取引先など会社の人以外との会話	・自分のこと→**謙譲語** ・自分の上司のこと→**謙譲語** ・相手のこと→**尊敬語** ・相手の上司、同僚、部下、家族のこと→**尊敬語**
上司の家族と話す場合	・自分のこと→**謙譲語** ・上司のこと→**尊敬語** ・相手のこと→**尊敬語**

column
コラム ❶

まったく違う言葉に変身する尊敬語＆謙譲語

　尊敬語、謙譲語のなかには、ふだんの会話で使う言葉とはまったく形が異なるものがある。別の言葉に転換する尊敬語と謙譲語についてまとめておこう。

✓使用頻度が高い言葉は丸暗記を

　転換形式の尊敬語、謙譲語は、知らなければ使えないので、そのまま覚えるよりほかに手はない。ただ、使用頻度が高い言葉は、ある程度限られている。51ページに挙げた言葉は覚えておきたい。自由に使えるように練習しておけば、ほとんどの場合、事足りる。

✓付加形式に頼りすぎない

　転換形式の言葉を知らなくても、言葉の前後に何かを付け加える付加形式が活用できる。応用範囲が広いので便利なのだが、注意しておきたいのはそればかり使っていると、耳障りな言い方に聞こえる場合がある。やはり最低限の転換形式の言葉は覚えておきたい。
　たとえば、「（私が）聞く」という場合、「聞かせていただきます」というよりは「伺います」といったほうが、ずっとスマートだ。

✓尊敬語と謙譲語を混同しない

　尊敬語と謙譲語を正しく把握していないと、両者を混同して恥ずかしい間違いを犯すことがある。なかでも代表的な失敗例が、「おられる」「申される」といった言い方。「られる」はたしかに尊敬表現だが、謙譲語につけても敬意をあらわすことにはならない。

覚えておきたい言葉

普通の言葉	尊敬語	謙譲語
行く	いらっしゃる、おいでになる	伺う、まいる、上がる
来る	いらっしゃる、おいでになる、お越しになる、見える	伺う、まいる
いう	おっしゃる	申す、申し上げる
聞く	お耳に入る	伺う、拝聴する、承る
いる	いらっしゃる	おる
する	なさる	いたす
見る	ご覧になる	拝見する
見せる	———	ご覧に入れる、お目にかける
知る	ご存じです	存じる、存じ上げる
食べる	召し上がる	いただく、頂戴する
会う	———	お目にかかる
読む	———	拝読する
もらう	———	いただく、頂戴する
あげる	———	差し上げる
くれる	くださる	———
借りる	———	拝借する
着る	召す、お召しになる	———

column
コラム❶

言葉を付け加えるだけで尊敬語・謙譲語にする方法

　ここでは、ふだんの会話で使う言葉の前後に決まった表現を付け加えるだけで、尊敬語、謙譲語にする方法を見ていこう。基本的な法則を頭に入れ、繰り返し声に出して練習しておけば、とくに意識しなくても自然と使えるようになる。

✓付加形式の尊敬語
1)「れる」「される」をつける
　言葉の後ろに「れる（られる）」または「される」をつけて、相手を敬う尊敬語にする。基本は「動詞＋れる（られる）」「名詞＋される」。ただし、動詞に何かを付加する場合は、語尾をかえることになるので気をつけよう。

　また、「れる（られる）」は、可能、受け身の表現と同じ形になるので注意が必要。たとえば、「おひとりで来られますか」というと、「来ることができますか」と能力を問う質問のように誤解されることがある。「見られる」についても、尊敬語のほかに「見ることができる」「人から見られる」という意味にもとれる。

　例／読む →読まれる、戻る→戻られる、到着する →到着される

2)「お」「ご」と「になる」「なさる」をつける
　言葉の前後に、「お＋動詞＋になる」「ご＋名詞＋なさる」とつけて尊敬語にする。1の方法よりもていねいな印象を与える言い方で、広く用いられている。

　例／持つ →お持ちになる、出発する →ご出発なさる

3)「お」「ご」と「くださる」をつける

言葉の前後に、「お＋動詞＋くださる」「ご＋名詞＋くださる」とつけて尊敬語にする。「お持ちください」というように、何かをお願いする状況でよく使われる。

例／教える →お教えくださる、指導する →ご指導くださる

✓ 付加形式の謙譲語

1)「お」「ご」と「します」をつける

言葉の前後に、「お＋動詞＋します」「ご＋名詞＋します」とつけて、自分や身内をへりくだって表現する謙譲語にする。

例／願う →お願いします、送付する →ご送付します

2)「お」「ご」と「いたします」をつける

言葉の前後に、「お＋動詞＋いたします」「ご＋名詞＋いたします」とつけて謙譲語にする。**1**の「します」を謙譲語の「いたします」にかえたもので、それだけていねいな言い方となり、幅広く活用することができる。

例／話す →お話しいたします、説明する →ご説明いたします

3)「せていただく」「させていただく」をつける

「動詞＋せていただく」「ご＋名詞＋させていただく」の形にして、謙譲語にする。会話の相手に許可を求める意味合いがある。

しかし、この形式ばかりを頻繁に使うのは考えもの。謙遜するつもりで相手には関係しない自分の行為にまで用いると、耳障りで逆に印象が悪くなるので注意しよう。

例／待つ →待たせていただく、辞退する →ご辞退させていただく

第2章

取引先との コミュニケーション

◆◆

他社の人に対しては、会社を代表しているという意識で接しているだろうか。まずい対応について笑われることはあっても、教えてくれることはない。ここでは取引先への訪問、そして会社内での訪問者への対応における必須コミュニケーション術を紹介する。

第 2 章

サンテステフ村

ボンジュール。
島田浩二と
申します

バロー・ノワール
です。よろしく
お願いいたします

【他社を訪問したとき】

> テスト 9　訪問先の受付で、社長の取り次ぎを頼む

島田…（ええっと、米山さんに会いに来たんですけど……。）
　　　※名前を名乗り、約束している相手への取り次ぎを頼む→答は**057**へ

受付…いつもお世話になっております。

　　　東西電産の島田様でございますね。

　　　少々お待ちいただけますでしょうか。

───**受付の人が内線で連絡**

受付…お待たせして申し訳ございません。

　　　ご案内いたしますので、こちらへどうぞ。

島田…恐れ入ります。

テスト10のシーン

やあ、これはこれは島田課長

米山孝蔵社長

【訪問先の応接室にて】

テスト 10　訪問先の米山社長に島田が挨拶をする

米山社長…やあ、これはこれは島田課長。
　　　　　遠いところをお運びくださってありがとうございます。

島田…（あっ、どうも、どうも。今日は会えると思って楽しみに……）
　　　※面会の時間をとってくれたことへのお礼を言う→答は062へ

米山社長…いえいえ、こちらこそ。

島田…（これ、つまらないものですけど、よかったら食べてください。）
　　　※手土産を渡しながら言う言葉→答は066へ

米山社長…お気遣いいただきまして恐縮です。
　　　　　それでは、遠慮なく頂戴いたします。

島田…お忙しいところをお邪魔しては申し訳ないので、
　　　早速ですが本日お持ちした製品について
　　　ご説明させていただきたいのですが。

→答は062へ

（あっ、どうも、どうも。今日は会えると思って楽しみに……）

（まあおすわりください）

（いえいえ、こちらこそ）

【他社を訪問したとき】　　　ふだん言葉

057
約束した人に
会いたいことを伝える

ええっと、米山さんに
会いに来たんですけど……。　▶ ▶ ▶ ▶

058
アポイントなしで
取り次ぎを頼む場合

米山さんいますか。
アポはないんですけど、　　　▶ ▶ ▶
ちょっと会えないかなと思って。

059
アポイントなしで
面会を断られた場合

そうですか。
じゃあ、しょうがないですね。　▶ ▶ ▶ ▶
また来ますよ。

060
アポイントなしで
会えなかった相手に
伝言を頼む場合

それじゃあ、
僕がよろしくと言ってたって、　▶ ▶ ▶ ▶
伝えてもらえますか。

ていねい言葉

第2章

▶ ▶ ▶ 東西電産の島田と申します。
いつもお世話になっております。
米山社長から2時のお約束を
いただいているのですが、
お取り次ぎ願えますでしょうか。

Point!
受付に着いたら、まず会社名と名前を名乗り、約束した人の名前、部署、時刻などを伝える。午前中であれば、さわやかに「おはようございます」と声をかけたい。

▶ ▶ ▶ 東西電産の島田と申します。
米山社長にご挨拶に伺いました。

Point!
アポイントがないときは、「ご挨拶に伺う」という言い回しがよく使われる。この場合もまずはきちんと名乗ること。「近くにまいりましたので、立ち寄らせていただきました」という言い方でもOK。

▶ ▶ ▶ それでは日を改めまして、
また伺わせていただきます。
お忙しいところ
お手数をおかけしました。

Point!
取り次いでもらえなかった場合でも、失礼のないように礼儀正しくふるまう。次につながるように、受付の人にも好印象を与えたいものだ。

▶ ▶ ▶ お戻りになられましたら、
よろしくお伝え
いただけますでしょうか。

Point!
約束なしでは取り次げないと断られたら、「ご挨拶に上がったことだけ、お伝えくださいますか」と頼むとよい。名刺を残すときは「わたくしの名刺をお渡しいただけませんか」という言い回しが使える。

【訪問先の応接室にて】 ふだん言葉

061
応接室まで案内して
くれた人への言葉

ああ、どうも。　▶▶▶▶▶▶▶

062
約束した相手が現れた
ときの挨拶の仕方
（初対面の場合）

あっ、どうも、どうも。
今日は会えると思って　▶▶▶▶▶▶
楽しみにしてたんですよ。

063
名刺交換のときに
言うべき言葉

わざわざどうもすみません。
島田です。　▶▶▶▶

東西電産の島田と申します

第2章 ていねい言葉

▶▶▶ ありがとうございます。
それでは失礼いたします。

Point! 応接室に案内され、「どうぞ」と中に入るように勧められたとき、席を勧められたときには、きちんとお礼を言うこと。「恐れ入ります」という言い回しも使える。

▶▶▶ 本日はお時間を割いて
いただきまして、
ありがとうございます。

Point! 会えることを当然だと考えない。忙しいなかで時間を割いてくれたことへのお礼を言うこと。会えたうれしさを表現するなら、「お目にかかれて光栄です」といった言葉遣いに。

▶▶▶ 頂戴いたします。
東西電産の島田でございます。
どうぞよろしくお願い申し上げます。

Point! 名刺は原則として立場が上の人から先に渡す。相手のほうが上であれば、まず「頂戴します」と言って受け取り、社名、名前を名乗りながら自分の名刺を渡すこと。

どうぞこちらへ

【訪問先の応接室にて】　ふだん言葉

064
すでに面識のある相手が応接室に現れたときの挨拶

あれ、久しぶり！
お元気そうですね。　▶▶▶▶▶▶▶

065
アポイントなしに会ってくれた相手への挨拶

いやあ、忙しいのにすみません。
お会いできるかなあと
寄ってみただけなんですけど……。　▶▶▶

066
手土産を持参したときに手渡しながら言う言葉

これ、つまらないものですけど、
よかったら食べてください。　▶▶▶

067
お茶を出されて、勧められたときの返事の仕方

ああ、いいですか。
すみません。　▶▶▶▶▶▶▶

第2章 ていねい言葉

▶▶▶ いつもお世話になっております。
本日はお忙しいなか恐れ入ります。

Point! 何度も会っている相手であっても、やはりビジネスの場にふさわしい挨拶が必要だろう。相手と状況に応じて、062の「本日はお時間を割いていただきまして、ありがとうございます」を使ってもいい。

▶▶▶ お忙しいなか、突然伺いまして
申し訳ございません。

Point! 突然たずねたのだから、まずはお詫びのひと言がほしい。「ご無理を申し上げて失礼いたしました」という言い方もある。

▶▶▶ よろしかったら、
皆様で召し上がってください。

Point! もちろんこれは食べ物の場合の言い方。「お食べください」と言う若いサラリーマンがいるが、これは間違い。「食べる」の尊敬語「召し上がる」を使えるようになろう。

▶▶▶ ありがとうございます。
それでは遠慮なくいただきます。

Point! きちんとお礼を言う。また、勧められたら「それでは遠慮なくいただきます」または「それでは頂戴いたします」と答えて口をつける。遠慮して飲まないのは、かえって失礼だ。

【用件に入る】

テスト 11　外資系企業の担当者と株の買収交渉をする

島田…早速ですが、グローバルを買い取る方法は
　　　TOB（株式公開買い付け）でよろしいでしょうか。

スティーブンソン…それがベストな方法だと思います。

島田…条件については、すでにお話しさせていただいた通りです。
　　　（どうですか。わからないことがあったら、何でも……）
　　　※説明したことについて疑問などないかを確認する→答は069へ

スティーブンソン…ありません。問題は価格です。
　　　希望は1株90ドルです。

島田…それでは私どもが考えていた価格と1株20ドルの差があります。

スティーブンソン…申し訳ありませんが、もっと妥当な価格を
　　　提示していただかないと。

島田…（急にそういうことを僕に言われても、困りますね。……）
　　　※そこですぐには答えられないときの言い回し→答は075へ

テスト11のシーン

交渉は最初から高いテンションのなかではじまった。経営権のおよぶ範囲に関してはスムーズに話が進んだが、買収価格については双方に大きな隔たりがあり難航した。

【退席する】

> **テスト 12** 訪問先との打ち合わせが終わり、おいとまする

社長…それでは、この件につきましては、来週早々にでも
　　　ご連絡いたします。
島田…（じゃ、電話待ってます。よろしく。）
　　　※先方からの連絡を待つと言って話を終える→答は**078**へ
社長…本日はお忙しいなかご足労いただきまして、ありがとうございました。
島田…とんでもない。こちらこそ、
　　　（あっ、もうずいぶん時間オーバーですね。じゃあ、帰りますから。）
　　　※予定時間より長引いた会合を終えるときの表現→答は**080**へ
　───応接室を出てエレベーターホールへ
島田…社長、（そんなわざわざ送ってくれなくていいですよ。……）
　　　※見送りを辞退し、別れ際の挨拶をする→答は**082**へ
社長…そうですか。それでは、今後ともよろしくお願いいたします。

→答は**069**へ

【用件に入る】　ふだん言葉

068
挨拶のあと、
本題に移る場合

ええ、今日はですね、
新製品についてお知らせしようと
思って来ました。
これ、カタログです。

069
説明した内容が
伝わったかどうか
確かめる場合

どうですか。
わからないことがあったら、
何でも聞いてください。

070
値引きするので
考えてほしいと
アピールする場合

少しくらいなら安くできますから、
ちょっと考えてみてくださいよ。

071
相手の言うことに
反論するときの言い回し

そちらの言いたいことも
わからなくはないですけど、
家電市場も変わってきて
いるんですよ。

ていねい言葉

第2章

▶▶▶ 早速ですが、本日は新製品の
ご案内に伺いました。
こちらがカタログでございます。

Point! 「来る」は「伺う」、「これ」は「こちら」と言い換える。「本日伺いましたのは……」という言い方もできる。ひとしきり世間話をした場合は、「ところで」と言って本題に方向を向けるといい。

▶▶▶ いかがでしょうか。
何かご不明な点など
ございませんか。

Point! 「わからないことがあったら」という言い方は、相手を立てなければならない状況で言うべき言葉ではない。あたりのやわらかい、ていねいな言葉遣いをするよう努めよう。

▶▶▶ 今回につきましては
勉強させていただきますので、
ご検討願えませんでしょうか。

Point! お金に関することは、あまりストレートに言わないほうがよい。「勉強させていただく」は値引きするときによく使われる言い回し。相手の要望を受けて値引きに応じるときは「泣きます」という表現がある。

▶▶▶ おっしゃることはごもっともだと
存じますが、ご承知の通り、
家電市場には急速な
変化が起きておりまして。

Point! 相手の言葉を肯定し、「ご承知の通り」と言葉を続けて、そうはいかない理由を述べる方法。また、相手を指して「そちら」「お宅」などと言わないこと。「○○様」「御社」といった言い方をする。

【用件に入る】　　　ふだん言葉

072
相手の言うことが
以前と違っているとき
の指摘の仕方

えっ、それはないでしょ。
この前はそれでいいって
言ったじゃないですか。
話が違いますよ。　▶▶▶▶▶

073
力を貸してほしいと
お願いするときの表現

力を貸して
もらいたいんですがねえ〜。　▶▶▶▶

074
問題点などの話し合い
がすみ、ゴーサインの
確認を取る場合

じゃあ、これで問題は
もうないってことですね。
では、このまま
進めますから、よろしく。　▶▶▶▶▶

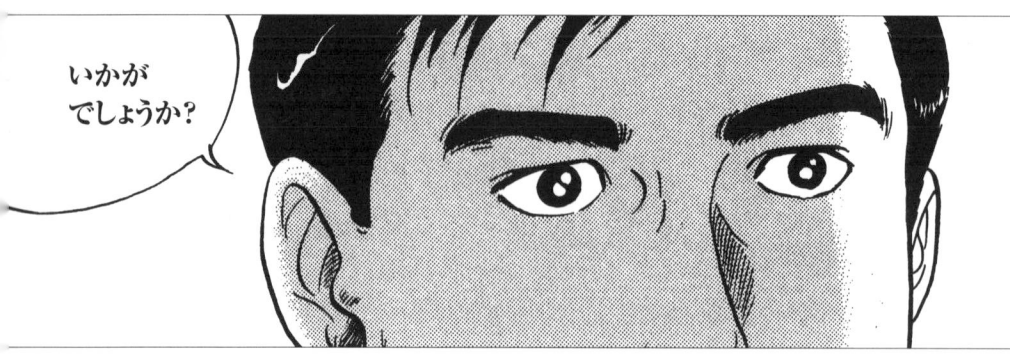

いかが
でしょうか？

ていねい言葉

第2章

▶▶▶ わたくしの
記憶違いかもしれませんが、
たしか前回はその点に
つきましてはご配慮いただける
というお話でしたかと……。

Point! あまりにストレートに話が違うと主張するのは考えもの。「わたくしの記憶違いかもしれませんが」といった言葉を挟んで、やんわりと指摘したほうがいい。

▶▶▶ お力添えいただけるよう
お願い申し上げます。

Point! 力になってもらいたいなら、相手を持ち上げて、ていねいな言い回しを使うことだ。時々「お力になってください」などと言う人がいるが、これも間違いなので注意しよう。

▶▶▶ それでは、ほかに問題が
ないようでしたら、このまま
進めさせていただきますが、
よろしいでしょうか。

Point! 話し合いが一通りすんだからといって、相手がすべて了解しているとは限らない。「このまま進めさせていただく」といった表現を使って、OKか否かの確認を取ることも大切だ。

【用件に入る】
【退席する】

ふだん言葉

075
自分ひとりでは判断できないことを言われたときの返答

急にそういうことを
僕に言われても、困りますね。
会社に戻って聞いてみないと……。 ▶ ▶ ▶

076
話がまとまる見込みがなく、あきらめる場合

じゃあ、結局ダメだってことですね。
わかりました、またそのうち
出直してきます。 ▶ ▶ ▶

077
返事をもらえる時期を確認しつつ、話を切り上げる場合

そしたら、来週あたりにでも、
また電話してみますよ。 ▶ ▶ ▶ ▶

078
相手のほうから連絡すると言われた場合

じゃ、電話待ってます。
よろしく。 ▶ ▶ ▶ ▶ ▶

ていねい言葉

第2章

▶▶▶ この場ではお答えできませんので、あらためてお返事させていただきます。

Point! 「わたくしの一存では決めかねますので」「わたくしでは判断いたしかねますので」といった言い方も。状況によっては「お返事は明日までお待ちいただけますか」などと、時期を明言したほうがいいだろう。

▶▶▶ 誠に残念ですが、あらためてご提案の機会をいただきたいと存じます。

Point! うまくいかなかった場合でも将来のことを考慮して、礼儀正しくふるまうことだ。いい印象を残せば、またチャンスがめぐってくることもある。

▶▶▶ では、来週早々にご連絡させていただきますので、よろしくお願いいたします。

Point! そろそろ帰ろうかというときが来たら、こうした言い回しを使ってしめくくることが多い。返事待ちの場合、どちらから連絡するのか、いつ答が出るのかなど、きちんと確認しておくことだ。

▶▶▶ では、ご連絡をお待ちしておりますので、よろしくお願いいたします。

Point! その場では答が出ず、先方から連絡すると言われたら、このように伝えて話を終えるといいだろう。

[退席する]　　　　ふ　だ　ん　言　葉

079
次のアポを取る必要が
ある場合のたずね方

次はいつにしましょうか。
できれば来週の真ん中くらいが　▶ ▶ ▶
いいんですけど。

080
予定の時間を過ぎ、
帰り時だと思ったら

あっ、もうずいぶん
時間オーバーですね。　▶ ▶ ▶ ▶ ▶ ▶
じゃあ、帰りますから。

081
帰り際の一般的な
挨拶の仕方

じゃあ、
また今度ということで。　▶ ▶ ▶ ▶ ▶ ▶

082
見送ろうとする相手の
素振りを見て、
遠慮するとき

そんなわざわざ
送ってくれなくていいですよ。　▶ ▶ ▶ ▶
ここでいいですから。

ていねい言葉

第2章

▶▶▶ そうしますと、次回は
いつ頃でしたらよろしいでしょうか。

Point!
自分中心に考えているようでは、まとまる話もまとまらない。まずは相手の都合に合わせる姿勢を見せることだ。「いつがいいですか」は「いつ頃でしたらよろしいでしょうか」と言い換えることでソフトになる。

▶▶▶ すっかり長居をしてしまいました。
そろそろ失礼いたします。

Point!
先方から「引き留めて悪かった」などと言われた場合は、この言い回しを活用し、「いえ、こちらこそ、長居をしてしまいまして」と答える。

▶▶▶ それでは失礼いたします。
本日はお忙しいところ、
ありがとうございました。

Point!
「本日はお時間を割いていただきまして、ありがとうございました」とも。アポイントなしで会ってくれたのなら、「本日は突然伺いまして、申し訳ございませんでした」といった挨拶をするといい。

▶▶▶ どうぞお気遣いなく。
こちらで失礼させていただきます。
ありがとうございました。

Point!
相手はマナーとして見送ろうとしているのだから、スマートに辞退したいところ。去り際の印象は、案外大きく響くものだ。

【訪問客を迎える】

テスト 13　ABC企画の岡山が、島田をたずねて来社

滝川…失礼します。

島田…ああ、君か。どうした?

滝川…(あの、岡山という人が来てますけど。……)
　　　※約束した客の到着を伝える言い回し→答は085へ

島田…そうか。応接室へご案内してくれ。すぐ行くから。

滝川…かしこまりました。

───応接室へ

岡山…島田課長、お久しぶりでございます。
　　　お忙しいなかお邪魔して申し訳ございません。

島田…いえ、こちらこそ(忙しいのにたいへんでしたね。……)
　　　※出向いてくれたことへの礼を言う→答は095へ

岡山…では、早速ですが、本日伺ったのは……。

テスト13のシーン

あの、岡山という人が来てますけど。……

→答は085へ

【応接室での接客】

テスト 14 北海エージェンシーの遠藤が、応接室で島田を待つ

島田…（ 遠藤さんですか。どうも、どうも。）
　　　※応接室で待たせていた初対面の客への挨拶→答は094へ

遠藤…こちらこそよろしくお願いいたします。

　　　北海エージェンシー、メディア事業部の遠藤と申します。

島田…どうぞ、おかけください。

遠藤…恐れ入ります。

島田…本日はたしかCMのお話と伺いましたが。

遠藤…ええ、実は……。

──── **しばらくのち**

滝川…お話し中のところ申し訳ございません。（島田にメモを渡す）

島田…（ すみませんが、大事な用ができたので、ちょっと……。）
　　　※緊急の用事で中座するときの客への言葉→答は097へ

島田課長、
お久しぶりで
ございます

【訪問客を迎える】　　ふだん言葉

083
社内で客と出くわしたときに言うべき言葉

ええっと、何か用でも？ ▶ ▶ ▶ ▶ ▶

084
社員への取り次ぎを頼まれたときの返答

アポは取ってるんですね。
ちょっと待ってください。 ▶ ▶ ▶ ▶ ▶
今呼んできますから。

085
客と約束している社員に訪問を伝える

あの、
岡山という人が来てますけど。 ▶ ▶ ▶
アポは取ったって言ってますが。

086
応接室まで客を案内するよう頼まれたとき

じゃあ、
私と一緒に来てください。 ▶ ▶ ▶ ▶ ▶
こっちです。

第2章 ていねい言葉

▶▶▶ いらっしゃいませ。

Point!
業種にもよるだろうが、来客には「いらっしゃいませ」と挨拶するのが一般的。ほかの社員が取り次ぐのを待っていたり、案内される途中であったりしても同じことだ。

▶▶▶ ABC企画の岡山様でございますね。かしこまりました。こちらで少々お待ちいただけますか。

Point!
こうした状況では、客にその場で待ってもらい、内線などで連絡して、どう対応するか確かめるのが普通。また、客を迎えたら、会社名、名前、取り次ぐ相手の名前、約束の有無を確認しよう。

▶▶▶ 2時にお約束のABC企画の岡山様がいらっしゃいました。

Point!
たとえ訪問客に聞こえなくても、敬称をつけ、敬語を使う。これを怠ると、常識がないと見なされ、信頼されない。「応接室にお通しして」などと言われたら、「かしこまりました」と答えて案内役に。

▶▶▶ 岡山様、お待たせいたしました。ご案内しますので、こちらへどうぞ。

Point!
約束した人と連絡をとるのに長く待たせてしまった場合は、「お待たせして申し訳ございませんでした」と詫びたほうがいい。行く方向を示すときには「どうぞ、こちらです」という言い方もできる。

【訪問客を迎える】　　　ふだん言葉

087
応接室へ案内したときに
言うべき言葉

島田さんはすぐ来ますから、
ちょっとここで待っててください。　▶ ▶ ▶ ▶

088
初対面の訪問客を
出迎えるときの言葉

あっ、遠藤さんですか。
時間通りですね。　▶ ▶ ▶ ▶ ▶ ▶ ▶

089
相手が取り次ぎだけを
頼んできて名乗らない
場合

あの、そういうあなたは
誰ですか。　▶ ▶ ▶ ▶ ▶ ▶

090
取り次ぎを頼むばかりで
アポイントの有無が
わからない場合

うちの島田さんと
アポを取ってるんですか。　▶ ▶ ▶ ▶ ▶ ▶

ていねい言葉

第2章

▶▶▶ 島田はすぐにまいりますので、こちらにおかけになってお待ちいただけますか。

Point! 応接室の中へ案内したら、上座を手で示して席を勧める。また、応接室に着いたら、さっさと自分から入っていくのではなく、「どうぞお入りください」といって中を指し示し、訪問客を先に通すのがマナー。

▶▶▶ 北海エージェンシーの遠藤部長でいらっしゃいますね。お待ち申し上げておりました。

Point! 相手の名前には「様」または役職名をつける。「時間通り」などと言うのは失礼。自分のほうから呼んだときは「お忙しいところをお呼び立てして、申し訳ございません」と付け加えるとグッド。

▶▶▶ 失礼ですが、どちら様でしょうか。

Point! 名前を聞かずに取り次ぐのはよくない。「どこの誰だか知っていて当然」とばかりにふるまう取引先のお偉方に出会うこともあるだろう。相手が名乗ったら「いつもお世話になっております」と挨拶しよう。

▶▶▶ 失礼ですが、お約束をいただいておりますでしょうか。

Point! つねに会社を代表しているという意識を持ち、ていねいに応対すること。相手を疑わしく思っているようなそぶりは見せないようにしよう。もちろん、社内の人に敬称をつけるのは間違い。

【訪問客を迎える】
【応接室での接客】

ふだん言葉

091
アポイントなしで訪れた客が断るべきセールスだと判断したら

どんな用ですか。
私から伝えておきますよ。　▶ ▶ ▶ ▶ ▶ ▶

092
アポなしの客に不在を理由に断る場合の言い回し

すみません。
今ちょっと出かけているみたいなんですが……。　▶ ▶ ▶ ▶ ▶ ▶

093
客にお茶を出すときの表現

お茶でもどうぞ。　▶ ▶ ▶ ▶ ▶ ▶

第2章 ていねい言葉

▶▶▶ よろしければ、
わたくしがご用件を承りますが。

Point! これは暗に取り次ぎを断る言い回しでもある。「失礼ですが、どのようなご用件でしょうか」という言い方もできるだろう。アポなしの客については、会社の決まりに応じて対処する必要がある。

▶▶▶ 申し訳ございません。
あいにく島田はただ今
外出しておりまして。

Point! 居留守をつかって断る場合も、「出かけているみたい」といったあいまいな言い方は避ける。「申し訳ございませんが、○○はただ今取り込んでおりまして」と、忙しいことを理由に断ることも。

▶▶▶ 失礼いたします。
どうぞお召し上がりください。

Point! 話の腰を折らないよう注意したい。状況によっては「失礼いたします」だけにとどめたほうがいいこともある。「どうぞお召し上がりください」という表現は、自分が客に飲食物を勧めるときにも使える。

あら、お久しぶりね
島田さん

【応接室での接客】　　ふだん言葉

094

応接室で待っていた
初対面の客と
顔を合わせたら

遠藤さんですか。
どうも、どうも。　▶ ▶ ▶ ▶ ▶ ▶ ▶

095

出向いてもらったことに
対する礼を言う

忙しいのにたいへんでしたね。
わざわざうちまで　　　　　　▶ ▶ ▶ ▶ ▶
来てもらっちゃって。

096

世間話の切れ目を見て、
用件に入るときの言い方

ええっと、すみません。
時間も限られているので、　▶ ▶ ▶ ▶ ▶ ▶
本題に入りましょう。

097

緊急の用事で
中座しなければ
ならないとき

すみませんが、
大事な用ができたので、　▶ ▶ ▶ ▶ ▶ ▶
ちょっと……。

ていねい言葉

第2章

▶▶▶ お待たせして申し訳ございません。
東西電産の島田でございます。
どうぞよろしくお願いいたします。

Point! 相手から会いたいと言ってきたのだとしても、謙虚な姿勢で応対を。自分が他社を訪問した場合と同じようにふるまおう。5分以上待たせたら、「大変お待たせして申し訳ございません」と詫びる。

▶▶▶ お忙しいところを
お越しいただきまして、
ありがとうございます。

Point! 前半の部分は、夏なら「お暑いなかを」、冬なら「お寒いなかを」、また雨の日なら「お足もとの悪いなかを」などとかえて活用できる。

▶▶▶ ところで、先日ご提案いただいた
件についてですが。

Point! 本題に話を進めたいときは「ところで」という言葉を挟んで、さりげなく。相手もコミュニケーションの潤滑剤として世間話をしているはずなので、話をさえぎったり、否定したりしないよう注意したい。

▶▶▶ 大変申し訳ございません。
少々失礼させていただきます。

Point! 「大事な用」と言うと、「あなたより大事なことがある」と受け取られかねない。来客中の上司への緊急の用事は、「お話し中のところ申し訳ございません」と客に断って、メモで伝える。

【交渉を終える】

> **テスト 15** 無事交渉を終えて、島田が訪問客の遠藤を見送る

島田…（もう時間も時間なので、このへんで。また連絡しますよ。）
　　　　※結論を出さず、連絡すると言って話を切り上げる→答は**098**へ

遠藤…では、ご連絡をお待ちしておりますので、

　　　よろしくお願いいたします。

島田…こちらこそ（わざわざ来てもらったのに、すみませんね。……）
　　　　※来てくれたお礼と挨拶→答は**099**へ

──── **応接室からエレベーターホールへ**

遠藤…島田課長、どうぞお気遣いなく。こちらで結構ですから。

島田…（じゃあ、気をつけて。）
　　　　※客を見送るときの言い回しと最後の挨拶→答は**100**へ

遠藤…こちらこそ、ありがとうございました。それでは、失礼いたします。

> **テスト16のシーン**

【世間話／接待・パーティ】

テスト 16　十和田企画の十和田が、スナックで島田を接待する

十和田…ママーッ、東西電産の島田さんや。心をこめて接待してや。

ママ…まあ、すてきな男！

十和田…島田課長、（何が飲みたいですか。）
　　　　※飲み物の好みをたずねる言い回し→答は106へ

島田…ウーロンハイをお願いします。

ママ…すぐお作りしますね。

十和田…この店、今日から島田さんはフリーパスですから。

ママ…お腹はすいてらっしゃらないの？

　　　これね、私の特製ピザなんだけど。

十和田…ママのピザはおいしいんですよ。

　　　（遠慮なく食べてくださいね。）
　　　※あたたかい食べ物を勧める表現→答は108へ

島田…（いやいや結構です。そんな気を遣わないでください。）
　　　※お酒や料理を勧められたときの返答→答は109へ

→答は106へ

【交渉を終える】
【世間話】

ふだん言葉

098

話が一通りすんで、
切り上げたいとき

もう時間も時間なので、
このへんで。
また連絡しますよ。 ▶ ▶ ▶ ▶ ▶ ▶

099

再び来てもらった
礼を言う

わざわざ来てもらったのに、
すみませんね。
これからもよろしく。 ▶ ▶ ▶ ▶ ▶ ▶

100

客を見送り、
別れ際にする挨拶

じゃあ、気をつけて。 ▶ ▶ ▶ ▶ ▶ ▶

101

趣味のゴルフの話題を
もちかける

ゴルフがうまいって
聞きましたけど、
よく行くんですか。 ▶ ▶ ▶ ▶ ▶ ▶

ていねい言葉

第2章

▶▶▶ それでは、この件につきましては、
後日ご連絡させていただきます。

Point! その場で答が出ない場合は、この表現が面会終了のサインとなるだろう。相手からの返事待ちの場合は、「では、ご連絡をお待ちしておりますので、よろしくお願いいたします」などと言えばいい。

▶▶▶ 本日はご足労いただきまして、
ありがとうございました。
今後とも
よろしくお願い申し上げます。

Point! 相手の望む答が出せなかった場合も、「すみません」と謝るよりは、足を運んでくれた礼を言ったほうがいい。

▶▶▶ それでは、こちらで
失礼させていただきます。
本日はありがとうございました。

Point! 客が見送りを辞退し、エレベーターの前などで別れる場合でも同じ。また、「気をつけて」はぶっきらぼうだが、「どうぞお気をつけて」という言い方であればOK。

▶▶▶ 最近はゴルフにはお出かけですか。
すばらしい腕をお持ちと
伺っておりますが。

Point! 「行くんですか」では、あまりにくだけすぎ。「お出かけですか」くらいは、すんなりと言えるようになりたい。接待ゴルフをもちかける場合なども、こうした話のふり方をするといいだろう。

【世間話／接待・パーティ】　　ふだん言葉

102
自慢にしている子供をほめる

娘さんが受験に成功したんですってね。
やっぱり優秀な親には優秀な子が生まれるんですかね。
「蛙の子は蛙」って言いますから。

103
第三者の話題をもちかける

そう言えば、
作曲家の花岡さんと
友達なんですってね。

104
宴席を設けたいと
もちかけるときの
言い回し

部長はふぐが大好物だと聞いたんで、
お店を探しておきました。
今度、招待しますよ。

105
接待やパーティで
招待客を出迎えるとき
の言葉

あっ、どうもどうも。
待ってました。

ていねい言葉

第2章

▶▶▶ お嬢様が○△大学に
合格なさったと伺いました。
おめでとうございます。
さすがは部長のお嬢様で
いらっしゃいますね。

Point!
大切な顧客については、できるだけ情報を集めておこう。子供が自慢なら、こうした話題も。相手の家族にもきちんとした敬語を使うこと。蛇足だが、「蛙の子は蛙」はほめ言葉ではない。

▶▶▶ 作曲家の花岡様とは
ご昵懇(じっこん)の間柄でいらっしゃると
伺いましたが。

Point!
例えば、紹介してほしい人物がいる場合、こうした切り出し方をするのも手。折を見て「恐縮ですが、ぜひ一度お引き合わせいただけませんでしょうか」などと頼んでみるといいだろう。

▶▶▶ そろそろふぐのおいしい
季節ですね。
一席設けさせていただいても
よろしいでしょうか。

Point!
これは相手の好きなものを調べておいて、招待すると切り出す方法。「お招きしてもよろしいでしょうか」「よろしければ、近々お食事などいかがでしょうか」といった誘い方もできる。

▶▶▶ 本日はお越しいただきまして、
ありがとうございます。

Point!
招待を受けてくれたことに対して、礼を言うのがマナー。招待してやったんだから来るのは当然だなどと考えていると、せっかくの接待も実を結ばないだろう。

【世間話／接待・パーティ】　　ふだん言葉

106

客に飲み物の希望を
たずねる言い回し

何が飲みたいですか。　▶ ▶ ▶ ▶ ▶ ▶

107

客に食べ物の好み、
希望をたずねる言い回し

食べたい物があったら、
どんどん言ってくださいね。　▶ ▶ ▶ ▶ ▶

108

客にあたたかい料理を
勧めるときの表現

遠慮なく食べてくださいね。　▶ ▶ ▶ ▶

第2章　ていねい言葉

▶▶▶　お飲み物は
　　　何がよろしいでしょうか。

Point!
「何にいたしましょうか」という聞き方もできる。いつもはじめはビールとわかっている相手なら、「ビールでよろしいでしょうか」と聞いてもいいだろう。

▶▶▶　お好みは何かございますか。

Point!
あらかじめコースで頼んでいる場合は別として、あれこれと料理を注文するなら、客の希望をこのように聞くといい。

▶▶▶　どうぞ冷めないうちに
　　　召し上がってください。

Point!
あたたかい料理以外については、ただ単に「どうぞ召し上がってください」と言えばOK。「お食べください」「いただいてください」といった間違った言葉遣いをしないように注意。

男の人って、
大変ね……
ホント、尊敬しちゃうわ

【世間話／接待・パーティ】　　ふだん言葉

109
宴席でお酒を
勧められたときの答

いやいや結構です。
そんな気を遣わないでください。　▶ ▶ ▶

110
お酒を飲めない人、
または飲めない状況で
勧められた場合

残念ですが、ダメなんです。　▶ ▶ ▶ ▶

111
招待されたときの
帰り際の挨拶

今日はどうもすみませんでした。
おいしかったです。　▶ ▶ ▶

112
食事のあとになって
支払いは持つと
言われたときの返答

そんな、まずいですよ。
いいですから……。　▶ ▶ ▶ ▶ ▶ ▶

第2章 ていねい言葉

▶▶▶ 恐れ入ります。
それではいただきます。

Point! 「まあまあ飲みなさい」と酒を勧められたときに、妙に遠慮するとかえっておかしい。「恐れ入ります」または「恐縮です」と言って、ありがたくいただくのがマナーだ。料理を勧められた場合も同じ。

▶▶▶ 不調法で申し訳ございません。

Point! 飲むそぶりだけではしのげなくなったときは、「飲めない」「苦手」「ダメ」といった表現を口にするより、「不調法で」と謝っておく。

▶▶▶ 本日はお気遣いいただきまして、ありがとうございました。

Point! 手のこんだもてなしを受けたときは「大変なおもてなしにあずかりまして」、うちとけた関係であれば「ご馳走になりまして」と言ってもいい。

▶▶▶ ありがとうございます。
それでは、お言葉に
甘えさせていただきます。

Point! どちらが払うか押し問答をするのはスマートではない。ご馳走になってもかまわないと判断される状況ではお礼を言い、「お言葉に甘えさせていただく」という表現を使って申し出を受けるのがいい。

column
コラム ❷

身近だからこそ正しく使いたい丁寧語

　丁寧語と聞いて真っ先に頭に浮かぶのは、いわゆる「ですます調」だろう。敬語には大きく分けて3つあり、丁寧語は尊敬語、謙譲語とともに、そのひとつに挙げられる。丁寧語というのは、ていねいな言葉遣いをすることによって相手への敬意をあらわす敬語である。
　「ですます調」を使うと、「こちらです」「出席します」といった具合に簡単に敬語表現にできるので、尊敬語、謙譲語よりも身近で手軽な敬語といえる。たいていの人は苦労することもなく自然と使いこなしているはずだ。
　とはいえ、丁寧語は「ですます調」だけにとどまらない。社会人としては、ほかの表現方法についても基本を理解し、きちんと身につけておきたい。

1)「です」「ます」をつける
　語尾を「です」「ます」で締め括るだけで、丁寧語になる。一般的に、否定文の場合は「〜ではありません」「〜ません」といった形になり、過去形では後ろに「でした」がつく。
　例／明日は火曜日だ。→明日は火曜日です。
　　　今度の会議で発表する。→今度の会議で発表します。
　　　この文書ではない。→この文書ではありません。
　　　出席しなかった。→出席しませんでした。

2)「ございます」をつける
　語尾を「ございます」で締め括る。「です」「ます」よりもワンラ

ンク上のていねいな表現として、相手への敬意を明確にあらわすことができるので、ビジネスの場でもよく用いられる。社会に出たら「です」「ます」一辺倒から卒業して、「ございます」くらいはきちんと使えるようにしたい。

　　例／広報部の島田です。→広報部の島田でございます。
　　　　そうですか。→さようでございますか。

3)「お」「ご」をつける
「お茶」「ご飯」のように、名詞の頭に「お」または「ご」をつける。言葉の響きを美しく、上品にするものとして、美化語ともいわれる。日常生活では、「ご出席」「お体」のように相手に関係することにつける場合も多く、これについてはとくに相手への尊敬をあらわすという意味合いが強い。

　注意したいのは、「お」や「ご」をつけるとおかしい言葉もあるという点。よくある失敗例が「おコーヒー」「おトイレ」という言い方だ。外来語には原則としてつけないと覚えておきたい。

　ほかにも、役所、駅、学校などの公共の建造物や場所、犬や百合といった動植物の名前、台風や雷などの自然現象、犯罪、左遷といった反社会的な事柄や不幸な事柄には使わない。

　また、丁寧語の「お」「ご」を何度も使ったうえに、「お持ちになる」「ご連絡いたします」といった尊敬語、謙譲語を合わせると、語感が損なわれて聞き苦しくなるので気をつけよう。「お美しいお嬢様はお花がお好きだとお聞きしました」という言い回しを聞いたら、やはりおかしいと思うはずだ。

　　例／お菓子、お酒、お食事、お金、お手洗い、お名前、ご住所、
　　　　お手紙、お体、ご趣味、ご両親、ご結婚、ご栄転、ご希望

column
コラム ❷

好感を与える
ていねいな表現と決まり文句

　ビジネスにふさわしい言葉遣いを身につけるためには、敬語の基本ルールを理解したうえで実践的な練習に励む必要がある。自分の考えていることを伝えるのに口ごもるようでは、コミュニケーションはおぼつかない。ていねいな言い回しにするためには語尾をどのようにすればいいのか、今一度チェックしておこう。

　また、ていねいな言葉遣いに必要不可欠な決まり文句についても、自然と口をついて出るようにしておきたい。

✓自分の意思を伝える言い回し

　友達同士なら「ああしたい」「こうしよう」と簡単に言うことができても、敬語で話さなければならないとなると、スムーズに言葉が出ないという人は少なくない。自分の意思や希望などを伝える際の語尾の形は次のようになる。

- 自分の意思や予定を伝えるとき
  ～する →～します、～いたします
  例／行く →行きます、外出いたします

- 自分の意思や予定を否定的に伝えるとき
  ～しない →～しません、～いたしません
  例／遅れない →遅れません、口外しない →口外いたしません

- 何かを提案したり、希望を示したりするとき
  ～しよう →～いたしましょう
  例／2時にしよう →2時にいたしましょう

- 自分が何かをする許可を相手に求めるとき
  〜してもいいか →〜してもよろしいでしょうか
  例/聞いてもいいか →伺ってもよろしいでしょうか

- 相手に何かをしてほしいと依頼するとき
  〜してほしい →〜していただけますでしょうか
  例/出席してほしい →出席していただけますでしょうか

✓ 覚えておきたい決まり文句

　誰もが忙しい時代とはいえ、単刀直入に本題に入るのがいいとは限らない。忙しいからこそ、相手の都合や気持ちを考慮して、クッションの役目をする表現を挟むことが大人のマナーである。人に話しかけたり、話を切り出したりするときには、そうした決まり文句を使うようにしよう。ちょっとした言葉だが、使える人と使えない人では、雲泥の差である。

- 「恐れ入りますが」「恐縮ですが」
  例/恐れ入りますが、ご連絡先を伺ってもよろしいでしょうか。
  　　誠に恐縮ですが、少々お待ちいただけますでしょうか。

- 「申し訳ありませんが」「申し訳ございませんが」
  例/申し訳ありませんが、島田はただいま外出しております。
  　　申し訳ございませんが、ご足労願えませんでしょうか。

- 「失礼ですが」
  例/失礼ですが、お約束をいただいておりますでしょうか。

- 「お手数をおかけしますが」「ご迷惑をおかけしますが」
  例/お手数をおかけしますが、よろしくお伝えください。
  　　ご迷惑をおかけしますが、よろしくお願いいたします。

- 「差し支えなければ」
  例/差し支えなければ、私がご用件を承ります。

第3章

["大人"のための電話会話術]

◆◆◆

電話では姿が見えないぶん、表情や身ぶりでの
ごまかしがきかない。中途半端な言葉遣いをしていると、
相手に予想外の不快感を与えることになる。
「大人」として信頼される話し方を身につけよう。

第3章

はい、島田です

私だ。大川だ

あ！部長

今、車の中だ。東京へ向かっているところだ

急な電話で申し訳ないが今晩、ちょっと飲む時間はあるか？

【電話に出て取り次ぐ】

> **テスト 17** 中田興業の中田から、島田宛に電話が入る

橘……（もしもし。）
　　　※会社にかかってきた電話に出たときの第一声→答は**113**へ

電話の相手…中田興業の中田と申します。

橘……（はい、どうもどうも。）
　　　※相手が名乗ったとき、それに呼応してするべき挨拶→答は**114**へ

中田…こちらこそ、お世話になっております。
　　　島田課長はいらっしゃいますか。

橘……（島田課長ですね。ちょっと待ってください。）
　　　※取り次ぐ相手の確認と、保留にする前に言うべき言葉→答は**115**へ

――― 電話を保留にして上司に取り次ぐ

橘……島田課長、（中田さんという人から電話ですけど。）
　　　※電話を取り次ぐときの言い回し→答は**116**へ

島田…そうか、ありがとう。（もしもし。私ですが。）
　　　※取り次いでもらった電話に出るときの表現→答は**123**へ

中田…ああ、島田課長。お忙しいところ恐れ入ります。

> **テスト 18** 香川が間違い電話を取る

――― 別の電話が入る

香川…恐れ入ります。こちらには、鈴木という者はおりません。
　　　（あなたの名前を聞いていいですか。）
　　　※名乗らない相手に名前を聞く言い回し→答は**119**へ

電話の相手…え、俺は山本っていうんだけど。
　　　おかしいなあ、本人からこの番号をもらったんだから。
　　　そっちはクラブ・パラダイスだろ？

香川…（違いますけど。）
　　　※間違い電話だと知らせ、再度かからないようにする→答は**121**へ

電話の相手…あれ、間違えたみたいですね。すみません。

テスト17のシーン

島田課長、中田さんという人から電話ですけど

→答は**116**へ

そうか、ありがとう

もしもし。私ですが

ああ、島田課長。お忙しいところ恐れ入ります

→答は**123**へ

【電話に出て取り次ぐ】　ふだん言葉

113 電話を取って真っ先に言うべき言葉

もしもし。　▶ ▶ ▶ ▶ ▶ ▶ ▶ ▶

114 先方が名乗ったときの応じ方

はい、
どうもどうも。　▶ ▶ ▶ ▶ ▶ ▶ ▶ ▶

115 取り次ぎを頼まれたときの返事の仕方

島田課長ですね。
ちょっと待ってください。　▶ ▶ ▶ ▶ ▶ ▶

116 内線などで呼び出した人に伝えるべきこと

中田さんという人から
電話ですけど。　▶ ▶ ▶ ▶ ▶ ▶

ていねい言葉

第3章

はい、東西電産でございます。

Point! これは代表番号への答え方。部署直通なら「東西電産総合宣伝部でございます」などと、部署名まで言うのが普通。待たせたときは、「はい」を「お待たせいたしました」にかえて答えるほうがベスト。

いつもお世話になっております。

Point! 定番の挨拶。仕事上関係しているのかどうかわからなくても、名乗った相手にはこう応じるのが普通だ。「お世話さまです」という人も多いが、「お世話になっております」のほうがていねい。

課長の島田でございますね。少々お待ちいただけますでしょうか。

Point! 名前に役職名をつけると敬称になるので、「課長の島田」または「島田」と呼び捨てにする。取り次ぐ相手を確認したあとは、「ただ今おつなぎしますので、少々お待ちください」といった言い方もできる。

中田興業の社長から3番にお電話が入っております。

Point! 電話を取り次ぐときは、かけてきた人の会社名と名前、どの回線につながっているのかなど、はっきり伝えよう。

【電話に出て取り次ぐ】

ふだん言葉

117
自宅からの電話を
取り次ぐ場合の言い方

お宅から電話が入ってますけど。
奥さんみたいですよ。　▶ ▶ ▶

118
受けた電話が自分宛だと
わかったときの応対

ああ、中田さんですか。
どうも、どうも。今日は何か？　▶ ▶ ▶ ▶ ▶

119
先方が取り次ぎを
頼むだけで名乗らない
場合

あなたの名前を聞いていいですか。　▶ ▶ ▶

2時頃には戻ってくるけど、それまでに中田興業の社長から電話があったら連絡をくれないか

ていねい言葉

▶▶▶ （小声で）
課長、お電話です。

Point! 本来、私用電話は職場では慎むものなので、大声で「奥様からお電話です」などと言うと、上司に恥ずかしい思いをさせる。本人に聞かれたときだけ、「ご自宅からです」と小声で応じたほうが気が利いている。

▶▶▶ 橘でございます。
いつもお世話になっております。

Point! ほかの人ではなく自分への電話だとわかったら、まずは「〜でございます」とていねいな言葉遣いで名乗る。用件に入るのは、まず挨拶をすませてから。

▶▶▶ 失礼ですが、お名前を
伺ってもよろしいでしょうか。

Point! 直接的な聞き方は失礼なので、「失礼ですが」と前置きしよう。「恐れ入りますが」と言ってもいい。「聞いてもいいですか」をビジネスにふさわしい敬語に置き換えると、「伺ってもよろしいでしょうか」となる。

【電話に出て取り次ぐ】　　ふだん言葉

120

先方の名前が
聞き取れなかった場合
の対処法

えっ、何ですって？
もう一度言ってください。　▶▶▶▶▶

121

間違い電話がかかって
きたときの応じ方

違いますけど。　▶▶▶▶▶▶▶

122

担当者を出してほしい
という電話セールス
への応対

ちょっと聞いてみますから、
このまま待っててくれますか。　▶▶▶▶

123

自分宛の電話を
取り次いでもらったとき
の出方

もしもし。
私ですが。　▶▶▶▶▶▶▶▶▶

ていねい言葉

▶▶▶ 申し訳ございません。
もう一度お名前を
お聞かせ願えますでしょうか。

Point! 相手の話し方や声の大きさがどうであれ、マナーとして謝り、恐縮しつつ「もう一度お名前をお聞かせ願えますでしょうか」と低姿勢でお願いするといい。

▶▶▶ こちらは東西電産でございます。
番号は1234-5678で
ございますが。

Point! 会社の代表として応対しているのだから、間違い電話も邪険に扱わない。社名と番号まで伝えれば、再び同じ間違い電話はかかってこないだろう。反対に、「何番におかけでしょうか」と聞くこともできる。

▶▶▶ あいにく担当者は外出しております。
資料をお送りくだされば、
こちらから
ご連絡させていただきますが。

Point! セールスは無闇に取り次がない。不在を理由としつつ、かけ直してこないように「こちらからご連絡させていただく」と言い切るのが、ひとつの対処法だ。ただ、会社によって対応の仕方は違うので確認しておきたい。

▶▶▶ お待たせしました。
島田でございます。

Point! 「私です」ではなく、名前をきちんと名乗る。また、「〜でございます」という言い方をしたほうがていねいで、相手への敬意も伝えられる。待たせないで出た場合は、「お電話かわりました」でOK。

【不在の人宛の電話対応】

> **テスト 19** 上司の島田宛の電話に二見が出たものの、本人は外出中

——島田が外出中に電話が入る

電話の相手…恐れ入ります。
　　　　　林と申しますが、島田課長はいらっしゃいますか。

二見…（今、出かけてていないんですよ。伝言があったら、……）
　　※上司が外出中だと伝え、用件をたずねる言い回し→答は**124**へ

林……何時頃に戻られるか、おわかりになりますか。

二見…（ええっと、戻りは4時ってことになってますけど。）
　　※帰社予定時刻を伝える言い方→答は**125**へ

林……そうですか、4時ですか。ええっと、どうするかな……。

二見…お急ぎでいらっしゃいますか。

林……いや、大丈夫です。
　　戻られたら、事務所に連絡をいただきたいとお伝え願えますか。

二見…（はい。じゃあ、戻ったらそう言っておきます。）
　　※戻ったら電話がほしいと言われたときの返答→答は**134**へ

林……よろしくお願いします。

二見…林様、（もしかして番号がわからないといけないから、……）
　　※万一に備え、先方の電話番号を聞く→答は**135**へ

テスト19のシーン

→答は**124**へ

「今、出かけていないんですよ。伝言があったら、……」

テスト 20　出張中の島田に顧客から電話があり、香川が応対する

―――島田の出張中に電話が入る

香川…いつもお世話になっております。

（島田課長は出張中ですね〜。戻ってくるのはあさって……）
※出張中であることと戻る日を伝え、相手の意向をたずねる→答は**126**へ

磯辺…明後日ですか。じつは少々急ぎの用がありまして、明日の昼までに連絡がつくとありがたいのですが。

香川…（携帯には出ると思いますけど。番号を言いましょうか。）
※出張先に連絡し、電話するよう伝えると申し出る表現→答は**127**へ

磯辺…恐縮ですが、そうしていただけると助かります。来週のプレゼンテーションの件だと、お伝えいただけますか。

香川…かしこまりました。

磯辺…では、よろしくお願いいたします。

香川…（じゃあ、そう伝えときますから。）
※伝言を受けた人間として名乗り、電話を切るときの言葉→答は**137**へ

ええっと、戻りは4時ってことになってますけど

何時頃に戻られるか、おわかりになりますか

→答は**125**へ

【不在の人宛の電話対応】　ふだん言葉

124
先方の話したい人が外出中である場合

今、出かけてていないんですよ。
伝言があったら、
伝えておきますけど。　▶ ▶ ▶

125
何時頃に戻るのか聞かれたときの答え方

ええっと、
戻りは4時ってことに　▶ ▶ ▶ ▶ ▶ ▶
なってますけど。

126
出張中の社員への電話があった場合

島田課長は出張中ですね〜。
戻ってくるのはあさってですけど、　▶ ▶ ▶
どうします？

127
社内にいない人に急ぎの用があると言われた場合

携帯には出ると思いますけど。
番号を言いましょうか。　▶ ▶ ▶ ▶

ていねい言葉

第3章

▶▶▶ 申し訳ございません。
島田はただ今外出しております。
よろしければ、
わたくしがご用件を承りますが。

Point! 謝るのは「せっかく電話をもらったのに申し訳ない」ということ。「外出しております」のように、社内の人間のことは尊敬語ではなく謙譲語を使って表現するのが鉄則。

▶▶▶ 4時には戻る予定でございます。

Point! 「4時に戻ります」と断言すると、その時刻にかけ直してくるかもしれないので、「予定でございます」という表現を使うほうが得策。

▶▶▶ 申し訳ございません。
島田は出張しておりまして、
明後日には出社する
予定でございます。
いかがいたしましょうか。

Point! 出張中である場合は、次に出社する日を伝える。それまで待てるかどうかわからないので、「いかがいたしましょうか」と先方の意向を聞いてみよう。

▶▶▶ こちらから連絡を取りまして、
お電話いたしましょうか。

Point! 携帯電話の番号を気安く教えるのは考えもの。左に挙げたように、「自分が携帯にかけて相手に電話がいくようにする」と申し出るほうがいい。

【不在の人宛の電話対応】　　ふ だ ん 言 葉

128
休みを取っている人への電話の場合

今日はちょっと休んでるんですよ。
どうしますか。　▶▶▶

129
取り次ぐ相手がほかの電話に出ている場合

ああ、
島田さんは電話中ですね。
終わったらコールバック　▶▶▶▶▶▶
したほうがいいですか。

130
たまたま席を離れているだけの場合

いませんねえ。
そのへんにいるはずなんですけど。　▶▶
戻ってきたら電話しますよ。

> あ……うん
> 大丈夫だ。
> なにか？

ていねい言葉

第3章

申し訳ございません。島田は本日、
休ませていただいております。
差し支えなければ、
わたくしがご用件を承りますが。

Point!
確実に次の出社予定日がわかるときは、「明日には出社する予定でございます」などと言い添えるといいだろう。直接的に聞くのは失礼なので、「よかったら用件を聞きます」を敬語に直して表現する。

恐れ入ります。島田はただ今
ほかの電話に出ております。
終わりましたら、こちらから
お電話いたしましょうか。

Point!
はじめは「申し訳ございません」でもOK。また、「お電話させましょうか」という人もいるが、「お電話いたしましょうか」と言ったほうが好ましく響く。「コールバック」は避けたほうが無難。

恐れ入ります。島田はただ今
席をはずしております。
戻りましたら、こちらから
お電話いたしましょうか。

Point!
短時間デスクを離れているだけの場合、「席をはずしております」というのが決まり文句。「急ぎだからこのまま待つ」などと言われたら、「それでは、探してまいりますので、少々お待ちください」と応じるといい。

ん〜
なんだか扱いにくい
人がやってきたな

【不在の人宛の電話対応】　　ふ だ ん 言 葉

131
接客中で電話に
出ることができない場合

今、お客さんが来ている
みたいですね。どんな用ですか。　▶ ▶ ▶

132
ほかの電話や接客など
が、いつ頃終わりそうか
聞かれた場合

ちょっとわかりませんね……。
急ぎの用ですか。　▶ ▶ ▶ ▶

133
電話がかかっていると
伝えた上司から
「かけ直すと伝えてくれ」
と言われた場合

すみません。
なんだか今忙しいみたいで、
あとでかけ直すって
言ってますけど。　▶ ▶ ▶ ▶

134
先方から折り返し
かけてほしいと
言われたときの応じ方

はい。
じゃあ、戻ったら
そう言っておきます。　▶ ▶ ▶ ▶ ▶ ▶

ていねい言葉

申し訳ございません。
島田はただ今接客中でございます。
差し支えなければ、
ご伝言を承りますが。

Point! 「差し支えなければ」は「よろしければ」としてもいい。急ぎの用かもしれないので、「ご伝言を承ります」と謙譲語を使って申し出たほうがスムーズに話が進むはずだ。

少々お時間がかかるかと存じます。
お急ぎでいらっしゃいますか。

Point! 電話や接客、会議などが終わる時間は、そうそう正確に伝えられるものではない。予想を伝えるより、「少々お時間がかかるかと存じます」とていねいに応じてから、急ぎかどうかの確認をするといいだろう。

申し訳ございません。
島田はただ今取り込んでおりまして。
のちほどこちらからお電話させて
いただきますが。

Point! ただし、お得意先によっては、「外出中」「接客中」として、相手に伝えたほうがよい場合もあるだろう。いずれにしても、上司が言った言葉をそのまま使わないように。

かしこまりました。
戻りましたら、お電話を
差し上げるよう申し伝えます。

Point! 相手の希望を確認する場合も、上司に対しては尊敬語を使わないように。例えば、「戻られましたら、お電話するように申し上げます」などと言うと、身内の上司ばかりをもち上げることになり、恥をかく。

【不在の人宛の電話対応】　　ふだん言葉

135
先方の連絡先を
確認しておくときの
たずね方

もしかして番号が
わからないといけないから、　▶ ▶ ▶ ▶ ▶
教えておいてください。

136
連絡先を聞いたあとの
対応の仕方

はい、わかりました。▶ ▶ ▶ ▶ ▶ ▶

137
伝言を聞き、
確認も
終わったあとの挨拶

じゃあ、
そう伝えときますから。　▶ ▶ ▶ ▶ ▶ ▶

138
上司の家族に対して
本人が外出中であると
伝える場合

島田は出かけてます。
電話があったと伝えれば　▶ ▶ ▶ ▶ ▶
いいですか。

ていねい言葉

▶▶▶ 大変失礼ですが、念のため、お電話番号を伺ってもよろしいでしょうか。

Point! いきなり「番号を教えろ」という言い方をするのは失礼。ソフトな前置きをしてから、「伺ってもよろしいでしょうか」または「お教えいただけますでしょうか」などと聞こう。

▶▶▶ 復唱させていただきます。1111-2222番でございますね。

Point! 電話で数字のやりとりをするときには、間違いのないよう必ず復唱して確認を取ることが大切。ここでも「〜させていただきます」「〜でございますね」とていねいに。

▶▶▶ わたくし、香川が承りました。失礼いたします。

Point! 用件を聞いた人間として名乗っておくと、相手も安心する。また、電話を切るときは「失礼いたします」と言うのが礼儀。

▶▶▶ あいにく課長はただ今お出かけになっています。いかがいたしましょうか。

Point! 上司の身内と話すときは、社外への電話と同じように「課長は外出しております」と謙譲語を使うのは間違い。ここは尊敬語を使うこと。どう対応するかも聞いておくとベター。

【挨拶・取り次ぎの依頼】

テスト 21 島田が、取引先の宇都宮社長へ取り次ぎを頼む

秘書…はい、社長室でございます。

島田…（もしもし、島田ですけど。いつもどうも。）
　　　※仕事上関係のある会社に電話をかけて真っ先に言うべきこと→答は139へ

秘書…こちらこそ、いつもお世話になっております。

島田…（宇都宮さんいませんか。）
　　　※話したい相手への取り次ぎを頼む言い回し→答は142へ

秘書…少々お待ちいただけますでしょうか。

島田…恐れ入ります。

社長…はい、宇都宮ですが。

島田…お忙しいところ恐れ入ります。

テスト21のシーン　　　　　　　　　　　　　　　　　　　　→答は139へ

（宇都宮さんいませんか）

（もしもし、島田ですけど。いつもどうも）

→答は142へ

【先方が不在の場合】

テスト 22 　二見が、取引先の北海エージェンシーに電話を入れる

北海エージェンシー…申し訳ございません。
　　　　　　　　　遠藤はただ今外出しております。

二見…（いつ頃帰ってくるかわかります？）
　　　※会社に戻る予定時刻をたずねる表現→答は**145**へ

北海エージェンシー…6時過ぎになると思いますが。

二見…そうですか……。

北海エージェンシー…お急ぎでしたら、連絡を取ってみますが。

二見…いえいえ、それには及びません。
　　　（じゃあ、戻ってきたら電話をくれるように……）
　　　※戻ったら電話がほしいと伝言を頼む言い回し→答は**148**へ

北海エージェンシー…東西電産総合宣伝部の二見様でございますね。
　　　　　　　　　かしこまりました。お伝えいたします。

二見…（じゃあ、そういうことで。どうもで～す。）
　　　※伝言を受けた人に挨拶して電話を切る→答は**153**へ

北海エージェンシー…お電話ありがとうございました。失礼いたします。

【挨拶・取り次ぎの依頼】　ふだん言葉

139

仕事上の関係がある
会社にかけた場合

もしもし、島田ですけど。
いつもどうも。　▶ ▶ ▶ ▶ ▶

140

相手がつかまらず、
何度かかけ直している
場合

何度もすみません。
さっきもかけた島田です。　▶ ▶ ▶ ▶ ▶

141

まだ取引のない会社に
かけた場合の挨拶

すみません。
東西電産の二見という　▶ ▶ ▶ ▶ ▶ ▶
者ですけど。

142

話したい人への
取り次ぎを頼む

宇都宮さんいませんか。　▶ ▶ ▶ ▶ ▶

ていねい言葉

第3章

▶ ▶ ▶ いつもお世話になっております。
東西電産の島田でございます。

Point! 受話器を取った人は社名で答えるはずなので、それを聞いたあとで「もしもし」と言うのはおかしい。定番の挨拶から始めて、ていねいに名乗るのが正解。

▶ ▶ ▶ たびたび恐れ入ります。
先ほどお電話した東西電産の島田でございます。
いつもお世話になっております。

Point! 同じ人が電話を取った場合、またはその可能性が高い場合には、「たびたび恐れ入ります」とはじめに言うといいだろう。

▶ ▶ ▶ お忙しいところ恐れ入ります。
わたくし、
東西電産の二見と申します。

Point! 初めての会社だからといって、おどおどしているより、はきはきと「お忙しいところ恐れ入ります」と言ったほうが感じがいい。それから「〜と申します」と謙譲語を使って名乗る。

▶ ▶ ▶ 宇都宮社長は
いらっしゃいますか。

Point! 当然、相手方には尊敬語を使う。役職についている人は「○○課長」またはよりていねいに「課長の○○様」などと呼ぶ。そうでなければ「様」をつける。ほかに、「〜様をお願いいたします」という頼み方もできる。

【挨拶・取り次ぎの依頼】
【先方が不在の場合】

ふ だ ん 言 葉

143

仕事上の関係がない
会社や店への
問い合わせの電話

もしもし、
ちょっと聞きたいことが
あるんですけど。 ▶ ▶ ▶ ▶ ▶

144

間違い電話だと
わかった場合の
対応の仕方

えっ、北海エージェンシーじゃ
ないんですか。 ▶ ▶ ▶ ▶

145

相手が外出から戻る
時刻を知りたいときの
質問の仕方

いつ頃帰ってくるか
わかります？ ▶ ▶ ▶ ▶ ▶ ▶

146

あとでかけ直すと
伝えてもらう場合

じゃあ、
またあとでかけてみます。 ▶ ▶ ▶ ▶ ▶

第3章 ていねい言葉

▶▶▶ お忙しいところ恐れ入ります。
少々伺いたいのですが、
よろしいでしょうか。

Point! プライベートで使うときも、日頃からこのくらいの言葉遣いをしていれば、すんなりと出てくるもの。相手の所在地や行き方を確認するだけに、ていねいな表現をこころがけたい。

▶▶▶ 恐れ入ります。
そちらは1111-2222番の
北海エージェンシーでは
ございませんか。

Point! 驚いて切ってしまうようでは、まだまだ半人前。とくに初めてかける相手の場合、番号自体が間違いかもしれないので、丁重な態度で確認し、「お忙しいところ申し訳ございませんでした」と謝るように。

▶▶▶ 何時頃にお戻りになる
ご予定でしょうか。

Point! 「お戻りになる」は「戻る」の尊敬語。たずねているのは先方の社員のことなので、そこで敬意を欠く表現をすると、電話口に出ている人にも不愉快な思いをさせることになる。

▶▶▶ それでは、のちほどあらためて
お電話させていただきます。

Point! 相手が戻る時刻がわかった場合は、「のちほど」ではなく「4時過ぎに」などとその頃にかけ直すことを伝える手もある。「かけ直させていただく」または「おかけ直しいたします」という言い方もできる。

【先方が不在の場合】　　　ふだん言葉

147
電話があったことを
伝えてもらう場合

私から電話があったと
言っておいてもらえます？　▶▶▶▶▶

148
戻ったら電話をして
ほしいと伝言を残す場合

じゃあ、戻ってきたら
電話をくれるように　▶▶▶▶▶
伝えといてくださいね。

149
先方の戻る時刻が
遅くなっても
電話がほしい場合

遅くなるんですか。
でも、私も今日は遅くまで
いると思うんで、　▶▶▶▶▶
やっぱり電話くださいって
伝えてもらえます？

あ、島田です。
明後日そちらへ行く
用事ができたので
夜、ちょっと寄ろう
と思うんだけど

大丈夫？

ていねい言葉

第3章

▶▶▶ 島田から電話がありましたことを
お伝えいただけますか。

Point! 間違いのないように名前をもう一度名乗っておいたほうが安心。「お伝えいただけますか」とていねいに頼むこと。

▶▶▶ 恐縮ですが、戻られましたら
お電話をくださいますよう
お伝えいただけますでしょうか。

Point! 話をしたい相手と電話口に出ている人の両方に失礼がないよう気をつけよう。たとえ役職についている人とのつきあいがあるにせよ、電話を取った人に軽々しい口を利くのは心証がよくない。

▶▶▶ 本日は7時過ぎまで社に
おりますので、
お電話を頂戴できますよう
ご伝言をお願いいたします。

Point! 遅くなる、または戻る時刻がわからないと言われた場合、電話がほしいなら、何時まで会社にいるのか伝えておくといい。きちんとした敬語を使いこなしたいなら、「今日」は「本日」と言おう。

【先方が不在の場合】　　ふだん言葉

150
緊急の用事があるから早く電話がほしいと伝言を頼む場合

ちょっと急ぎの用なんですよ。
なるべく早く話をしたいんで、▶ ▶ ▶ ▶
そう言ってもらえます？

151
用件を伝言として残したい場合の言い回し

伝言を頼んでもいいですか。
この前の件について、
さっきFAXしたんで、▶ ▶ ▶
そう言っておいてほしいんです。

152
伝言を受けた人の名前を確かめておきたい場合

ええっと、すみません。
あなたの名前を ▶ ▶ ▶ ▶
聞いておきたいんですけど。

153
伝言を受けてくれた人に挨拶して電話を切る

じゃあ、
そういうことで。▶ ▶ ▶ ▶ ▶ ▶
どうもで〜す。

ていねい言葉

第3章

▶▶▶
お忙しいところ申し訳ありませんが、
急ぎお話ししたいことが
ございまして。
お電話をいただけますよう
お伝えくださいますか。

Point!
大事なときにつかまらないからといって、イライラしても仕方がない。急ぎだということが先方まで伝わることが大切。ていねいな言い回しでお願いしよう。

▶▶▶
恐縮ですが、ご伝言をお願いして
よろしいでしょうか。
先日お話しした件につきまして
先ほどFAXをお送りしましたので、
その旨お伝えください。

Point!
電話口に出た人に用件を話し、伝えておいてもらう場合には、「恐縮ですが」または「恐れ入りますが」などと前置きし、「よろしいでしょうか」とお願いするといい。

▶▶▶
大変失礼ですが、お名前を
伺ってもよろしいでしょうか。

Point!
伝言を頼んだ場合は、念のため名前を聞いておいたほうがいい。相手を不愉快にさせないように、敬意を込めた言い回しを使おう。「お名前を頂戴できますでしょうか」という聞き方もできる。

▶▶▶
お手数をおかけして
申し訳ありませんが、
よろしくお願いいたします。
それでは、失礼いたします。

Point!
相手は仕事の手をとめて伝言を受けてくれたのだから、「お手数をおかけして申し訳ありませんが」のひと言がほしい。「お忙しいなか、ありがとうございました」と礼を言う形にしてもいい。

【本人と話す】

> テスト 23　島田とアライアンスのデビッドソン部長との電話での会話

島田…滝川君、ロンドンのアライアンスのデビッドソン部長に
　　　連絡を取ってくれ。

滝川…かしこまりました。……こちら東西電産の東京本社で
　　　ございます。デビッドソン部長をお願いいたします。
　　　……課長、部長につながりました。

島田…（あ、デビッドソンさん？　どうも、どうも。）
　　　※本人であることを確認し、あらためて名乗る→答は**154**へ

デビッドソン…これはこれは島田さん。
　　　先日はご足労いただきまして、ありがとうございました。

島田…こちらこそ、ありがとうございました。
　　　本日、御社のワインオークションのカタログを拝見しました。
　　　わたくしどもの商品をこのようにご紹介いただき、感謝しております。

デビッドソン…いえいえ、当然のことをしたまでですよ。

島田…じつは、オークションの日取りも近づいてきましたし、
　　　（じゃあ、詳しく説明したいんで、会いませんか。）
　　　※そのことで会いたいと申し入れる表現→答は**158**へ

デビッドソン…そうですね、20日の午後2時ではいかがでしょう。

島田…ありがとうございます。（20日の2時ですね。じゃあ、また……）
　　　※アポイントの日時を確認して電話を切る→答は**160**へ

> テスト23のシーン

（吹き出し）滝川君、ロンドンのアライアンスのデビッドソン部長に連絡を取ってくれ

【自社への電話】

> テスト 24　香川が、商談の結果を自社へ電話報告する

東西電産…はい、東西電産でございます。

香川…（ あっ、香川です。どうも。 ）
　　　　※電話を取った人に言うべき言葉→答は**162**へ

東西電産…お疲れさまです。

香川…（ 島田課長いる？ ）
　　　　※上司への取り次ぎを頼む言い回し→答は**163**へ

――― 電話の取り次ぎ

島田…島田です。お疲れさま。どうだった？

香川…おかげさまで成功いたしました。説得するまでに少々時間はかかりましたが、最終的には承諾していただきました。

島田…よくやった。安心したよ。

香川…（ 誰からか電話がありました？ ）
　　　　※外出中の電話などを確認する表現→答は**166**へ

島田…いや、とくにないよ。今日はもう遅いから、このまま帰りなさい。

こちら東西電産の東京本社でございます

デビッドソン部長をお願いいたします

はい？

はい

あ、デビッドソンさん？
どうも、どうも

→答は**154**へ

【本人と話す】　　　ふだん言葉

154
話したい相手が
電話口に出たときの
挨拶

あ、デビッドソンさん？
どうも、どうも。　▶ ▶ ▶ ▶ ▶

155
初めて電話する
相手への自己紹介

米山さんですか。
忙しいのに悪いんですけど、　▶ ▶ ▶ ▶ ▶
私、東西電産の島田です。

156
用件に入る前に
相手の都合を確かめる

今、話をしても大丈夫ですか。　▶ ▶ ▶ ▶ ▶

157
書類などを見てくれたか
確認して話を進めたい
場合

この前、
カタログを送ったんですけど、　▶ ▶ ▶ ▶ ▶
見てくれました？

第3章 ていねい言葉

▶▶▶ デビッドソン部長で
いらっしゃいますか。
いつもお世話になっております。
島田でございます。

Point!
これは相手が名乗らなかった場合の話。きちんと名乗ってくれたら「いつもお世話になっております」から始めればいい。定番ではあるが、やはりまずは挨拶から。

▶▶▶ 米山社長でいらっしゃいますか。
お忙しいなか、突然お電話
いたしまして申し訳ございません。
わたくし、
東西電産の島田と申します。

Point!
面識がない人だからこそ、突然電話をすることに恐縮していることを示すべき。「突然のお電話で恐れ入ります」という言い方もできる。

▶▶▶ 少々お話ししたいことが
あるのですが、今、
お時間よろしいでしょうか。

Point!
電話に出たからといって、すぐに用件に入らず、礼儀として相手の都合をたずねる。面識のない相手なら「少々お時間をいただけますでしょうか」と言ってもいい。

▶▶▶ 先日新しいカタログを
お送りしたのですが、
ご覧になっていただけたでしょうか。

Point!
FAXした場合は「FAXを3枚お送りしたのですが」と確認しながら言う。「ご覧になる」は「見る」の尊敬語。「お手元に届きましたでしょうか」と聞く手もある。

【本人と話す】　　　ふ だ ん 言 葉

158 面会したいと申し入れる言い回し

じゃあ、
詳しく説明したいんで、▶ ▶ ▶ ▶ ▶
会いませんか。

159 面識のない相手に挨拶に行く場合

一度会いたいんですが、
いつがいいですか。　▶ ▶ ▶ ▶ ▶

160 アポイントが取れたあと、電話を切る前に

20日の2時ですね。
じゃあ、またその時にでも。▶ ▶ ▶ ▶ ▶
どうも。

161 電話をもらった相手に折り返しかける場合

電話をもらったのに
出かけていて、すみませんね。▶ ▶ ▶ ▶

ていねい言葉

第3章

▶▶▶ その件でぜひ一度、
お目にかかりたいのですが。

Point! 商談などのアポイントを取るときに使える言い回し。「お目にかかる」は「会う」の謙譲語。「ご都合のよろしいときに伺わせていただきたいのですが」という言い方もできる。

▶▶▶ ぜひ一度、ご挨拶に
伺わせていただきたいのですが、
いつ頃でしたらご都合が
よろしいでしょうか。

Point! これもアポイントを取るときによく使われる言い回し。「いつがいいか」というのはストレートすぎる。「いつ頃」と「よろしい」を使うのがポイント。

▶▶▶ それでは、
20日の午後2時に伺いますので、
よろしくお願いいたします。
失礼いたします。

Point! 日時を復唱して確認を取ること。それ以上の用がなければ、「よろしくお願いいたします」と挨拶してから、「失礼いたします」と言って電話を切る。

▶▶▶ 先ほどは外出しておりまして、
申し訳ございませんでした。

Point! まずは電話に出られず失礼したと伝える。席をはずしていただけなら「席をはずしておりまして、失礼いたしました」などと言えばいい。

【自社への電話】　　　　ふ だ ん 言 葉

162
受話器を取った人に
まず言うべきこと

あっ、香川です。
どうも。　▶ ▶ ▶ ▶ ▶ ▶ ▶ ▶ ▶

163
上司への取り次ぎを
頼む言い回し

島田課長いる？　▶ ▶ ▶ ▶ ▶ ▶ ▶ ▶ ▶

164
外出先から遅くなると
上司に連絡するとき

香川です。
打ち合わせが長引いたんで、
帰るのが遅くなります。
ああでもない、こうでもないって、
ずいぶんもめちゃって……、
大変でしたよ。　▶ ▶ ▶

じゃあ今夜の便でそっちに向かう。今すぐ会いたい、君に会いたい

ていねい言葉

▶▶▶ 総合宣伝部の香川です。
お疲れさまです。

Point!
自分の所属する部署への直通電話にかけている場合は、「○○です」と名前を名乗るだけでいい。電話でも社内の日常の挨拶「お疲れさまです」を使う。

▶▶▶ 島田課長はいらっしゃいますか。

Point!
相手が同僚だとしても、やはり上司に対しては尊敬語を使う。中途半端な言葉遣いをしていると、予期せぬところでボロが出ることに。

▶▶▶ 香川です。
お疲れさまです。中田興業での打ち合わせが長引きまして、ただ今終了したところです。
最終的にはこちらの希望が通りました。
5時過ぎには戻ります。

Point!
電話では要点をまとめて話すこと。自分の感想を延々と言う人がいるが、それでは要領を得ない。詳しい報告は帰ってからにして、簡単に結果を伝えるようにするといい。

> 香川です。お疲れさまです。私宛に何か伝言はありますか？

【自社への電話】　ふだん言葉

165 用事が長引き、そのまま帰りたい場合

今日はこのまま帰ってもいいですか。　▶ ▶ ▶ ▶ ▶

166 外出中に電話などがなかったか確認する表現

誰からか電話がありました？　▶ ▶ ▶ ▶

167 朝、病欠すると上司に伝えるときの言い回し

ちょっと体の調子が悪いんで今日はお休みします。　▶ ▶ ▶ ▶

168 朝、身内の弔事などで休みを取ると連絡する場合

きのう、おじいちゃんが亡くなったんです……。
今日はお通夜があるんで行けません。　▶ ▶ ▶ ▶ ▶

第3章 ていねい言葉

差し支えなければ、
本日はこのまま帰らせて
いただいてもよろしいでしょうか。

Point! 就業時間を過ぎていたとしても、やはり許可を求める姿勢が必要だろう。上司のほうから「帰っていい」と言ってくれないとき、このようにていねいにお願いしてみること。

わたくし宛に何か連絡などが
ありましたでしょうか。

Point! 急ぎの電話などが入っている可能性もあるので、会社に連絡を入れたら、このように確認しておくといい。

恐れ入りますが、
カゼで熱を出してしまいまして、
本日は休ませていただけませんか。
申し訳ございません。

Point! 「お休みします」というようでは、まだまだ。自分に「お」をつけるという誤りも犯している。病気だとしても、直接上司と話をして、「休ませていただけませんか」と許可を受けること。

わたくし事で恐れ入りますが、
身内に不幸がありまして。
本日は休ませていただけますか。

Point! 身内が他界したときには、「不幸」という言い方をするのが普通。休みを取るのが当然だとしても、社会人としてはやはりきちんとした言葉遣いでお願いすることだ。

column
コラム ❸

敬語を話すときには人の呼び方にも気をつける

　学生時代にはあまり考えたこともなかっただろうが、人の呼び方にも一定の決まりがある。敬語で話すときは名前に「さん」をつければ、いつでもどこでも通用するというものではない。

✓ 自分を何というか
　いうまでもなく「あたし」「おれ」「うち」は論外。基本とすべき言葉は「わたくし」。さほどあらたまった席ではなく、ある程度打ち解けた状況では「わたし」もOKだ。よく「ぼく」を使う若い人を見かけるが、年配の人の前では通用しないと思ったほうがいい。

✓ 自分の会社の呼び方
　「うちの会社」は友達同士で使う言葉。間違っても商談の最中に口にすべき言葉ではない。「わたくしども」「わたくしどもの会社」または「弊社」「小社」などが一般的だ。

✓ 社内での上司の呼び方
　基本的に、役職についている人は「課長」「部長」というように役職名で呼ぶ。そうでなければ「○○さん」と名前に「さん」をつける。同じ役職の人が周囲に何人かいる場合など、「○○課長」と「名前＋役職名」で呼ぶのが好ましい。ただし、会社の方針や慣習によっては、役職名を使わずに「○○さん」と呼ぶこともあるので、その場合は会社に従うことだ。

✓社外の人と話すときの上司の呼び方

会社の外に対しては、上司は身内扱いになるので敬称はつけない。役職名も一種の敬称なので、「課長」「部長」といった呼び方も避ける。基本的には名前を呼び捨てにし、役職を明らかにするときは「課長の○○」などと「役職名＋名前」の形にする。

✓社外の人をどう呼ぶか

基本的には、社内での上司の呼び方と同じ。役職についている人なら「○○課長」「○○部長」と役職名を名前につけて呼ぶ。役職がない人は「○○さま」または「○○さん」。正式には「さま」、状況と関係しだいで「さん」を使う。

電話の取り次ぎを頼むときなど、相手方の社員との会話では「課長の○○さま」と「役職名＋名前＋さま」の形で呼ぶこともある。

✓自分の家族の呼び方

まさか「パパ」「ママ」という人はいないだろうが、大人が職場で「お父さん」「お母さん」というようでは恥ずかしい。「父」「母」「両親」「兄」「姉」「弟」「妹」「祖父」「祖母」「祖父母」などを使うこと。

配偶者は「主人」「夫」「妻」「家内」など。「だんなさま」「奥さん」も身内に敬称をつけることになるので失笑を買う。夫であれば苗字の呼び捨て、妻は下の名前の呼び捨ても使われる。子供は「子供」「息子」「娘」など。

✓相手の家族の呼び方

相手の親兄弟は「お父さま」「お母さま」「お父上」「お母上」「ご両親さま」「ご兄弟」など。配偶者は「ご主人（さま）」「奥さま」、子供は「お子さま」「ご子息」「息子さん」「お嬢さま」「娘さん」を使う。

column
コラム❸

日にちや時間、場所をあらわす正しい言葉遣い

　せっかく尊敬語や謙譲語を使っても、ちょっとした言葉が全体の響きを台無しにしてしまうことがある。
　たとえば、訪問先で「大変失礼ですが、さっきお電話をくださった方でしょうか」と言われたら、どこかおかしいと感じるはずだ。この場合、「さっき」は「先ほど」とすべきだろう。
　このように、日にちや時間、場所や方角などについても、ていねいで上品なあらわし方をする必要がある。

✓日にちのあらわし方

　ついつい「きのう」「あした」などと言ってしまいがちだが、これはきちんとした敬語にそぐわない。漢字では「昨日」「明日」と同じ書き方をするのでまぎらわしいが、「さくじつ」「みょうにち」と呼ぶのが正しい。

　例／今日→本日、あした→みょうにち、あさって→みょうごにち、
　　　あすの朝→明朝、明日以降→後日、きのう→さくじつ、
　　　おととい→いっさくじつ、その日→当日

✓年のあらわし方

　文書では「本年」とする人でも、会話になると「今年」と言ってしまうことが多い。日にちのあらわし方と同じように、年の表現方法についても気を配れるようになれば、完璧である。ただ、あまり神経質になる必要はない。

　例／今年→本年、去年→昨年、おととし→いっさくねん

✓ そのほかの時間のあらわし方

「いつのことか」をあらわすときには、さまざまな言葉が使われる。これについても、「さっき」「もうすぐ」といったふだんの会話での表現をそのまま持ち込まないように注意したい。

　例／さっき →先ほど、この前・この間 →先日、前に →以前、
　　　いま →ただいま、すぐ →早速・まもなく・すぐに、
　　　あとで →のちほど、今度 →このたび、
　　　〜分（時間）くらいで →〜分（時間）ほどで

✓ 場所や方角などのあらわし方

来客に「こっちでお待ちいただけますでしょうか」とお願いしているようでは、敬意は伝わらない。「こちらで」と言えてこそ、「お待ちいただけますでしょうか」というていねいな表現が生きるというものだ。場所や方角をあらわすときにも、ふだんの会話よりワンランク上品な表現を使うようにしよう。

　例／こっち、これ、ここ →こちら
　　　そっち、それ、そこ →そちら
　　　あっち、あれ、あそこ →あちら
　　　どっち、どれ、どこ →どちら

✓ そのほかの注意ポイント

ほかにも使用頻度が高く、注意したい言葉はいくつもある。次の言い換えを参考にして、練習しておきたい。

　例／どう →いかが（どうしますか →いかがいたしましょうか）
　　　いい →よろしい（いいですか →よろしいでしょうか）
　　　いい →結構（これでいいです →こちらで結構です）
　　　誰 →どちらさま（誰ですか →どちらさまでしょうか）
　　　すごく →大変、非常に（すごく喜んだ →大変喜んでおります）

第4章
［ピンチのときのSOS敬語］

◆◆◆◆

窮地に立たされたときこそ、正しい言葉遣いが力を発揮する。相手への敬意に欠けた物言いでは、問題をこじらせるだけだ。思わぬトラブルやミス、クレームへの対処など、シーン別に基本的なフレーズを取り上げる。

おめでとうございます。これはわたくしからのお祝いの気持ちです

どういうつもり？私がバラの花を大嫌いなことを知っているでしょ！こんな嫌がらせをされるとは思わなかったわ！

【トラブルが発生したとき】

テスト 25 バンドメンバーのバッドボーイズが、島田に不満を言う

> ホテルの部屋が狭すぎて、打ち合わせもパーティもできない。エグゼクティヴスイートにしてくれよ

バッドボーイズ…ホテルの部屋が狭すぎて、打ち合わせもパーティもできない。エグゼクティヴスイートにしてくれよ。

島田…(いくら何でもそれはないでしょう。……)
※相手の常識外の要望は受け入れられないと伝える→答は**170**へ

バッドボーイズ…もっと豪華な部屋がいいんだよ！

島田…はっきり申し上げますが、それだけの予算がございません。

バッドボーイズ…それを何とかするのが仕事だろうが！

島田…どうしても希望されるなら、差額分は負担していただかなければなりません。ですから、(そこのところをクリアして……)
※考え直してほしいとていねいに伝える表現→答は**171**へ

バッドボーイズ… ………（無言）

―――**バッドボーイズが酒を飲んで暴れた**

バッドボーイズ…外国でこんな仕打ちを受けたのは初めてだ！

島田…はじめに手を出したのは、そちらでしょう。

バッドボーイズ……明日帰る。日本公演は中止だ！

島田…それでは、(もうダメですね。この話は……)
※収拾がつかず、契約の申し出を撤回するときの表現→答は**172**へ

【ミスしたとき】

テスト 26 島田が、自分の犯したミスを大川部長に報告する

島田…部長、じつは東西電産イベントホールのことで、
　　　ご報告しなければならないことがあります。

大川…どうした?

島田…私どもの手違いで、まったく別の団体にも会場の使用の許可を
　　　出してしまいました。(私のせいで、すみません。……)
　　　※管理不行き届きで相手に悪影響が及ぶことを謝罪→答は178へ

大川…それで、どう対処したんだ?

島田…私が直接事務所に行き、お断りしました。キャンセル料を
　　　要求されましたがあまりにも高額でしたので、
　　　現段階ではきっぱりと断りました。

大川…うん、それでいい。それぐらいの態度をとっておかないと、
　　　相手がつけ込んでくる場合がある。
　　　今回のことは仕方がないが、今後よく気をつけるように。

島田…(すみません。これからは気をつけます。でもそもそもの……)
　　　※言い訳などできないことと今後に向けての心構えを表現→答は177へ

テスト26のシーン

（大川）それぐらいの態度をとっておかないと、相手がつけ込んでくる場合がある
今回のことは仕方がないが、今後よく気をつけるように

（島田）はい。申し訳ございませんでした
すみません。これからは気をつけます。でもそもそもの……

→答は177へ

【トラブルが発生したとき】　ふだん言葉

169
先方が以前とまったく
違う話を無理に
押しつけてきた場合

話が違うんじゃない?
この前はこれでいいって
言ってたでしょ。

▶ ▶ ▶ ▶ ▶ ▶

170
非常識なやり方をされて
抗議したいとき

いくら何でもそれは
ないでしょう。
どうしろっていうんですか。

▶ ▶ ▶ ▶ ▶ ▶

171
問題点が解消するように
対処を促す言い回し

そこのところを
クリアしてもらわないと
困るんですよ。

▶ ▶ ▶ ▶ ▶ ▶

172
商談がこじれ、
軌道修正がきかなく
なった場合

もうダメですね。
この話は
なかったことにしましょう。

▶ ▶ ▶ ▶ ▶ ▶

ていねい言葉

そのようなお話は伺っておりません。
たしか先日のお話では、
わたくしどものご提案したプランを
採用していただけると……。

Point!
相手があまりに横暴なときは、「そのようなお話は伺っておりません」ときっぱり言うのもひとつの手。話が違うと怒ってみても解決にはならない。冷静に事実関係を整理して説明するのがいいだろう。

はなはだ申し上げにくいことでは
ありますが、
わたくしどもといたしましては
対応いたしかねますので……。

Point!
相手にとって都合の悪いことを言うときには、「はなはだ申し上げにくいことではありますが」というフレーズを前置きに活用するといい。

その点につきましては、
ご再考願えませんでしょうか。

Point!
先方の落ち度を責め立てるような言い方をすると、今後の進展がうまく望めないこともある。「ご再考願えませんでしょうか」とやんわり要求するのがコツ。

このような結果になり、
誠に不本意ではありますが、
いったん白紙に戻させて
いただきます。

Point!
先方に非がある場合でも、邪険な口の利き方は慎む。ご破算にすると宣言するときには「白紙に戻させていただく」という言い回しが便利。もちろん、判断は独断でおこなわないこと。まず上司に相談してからだ。

【トラブルが発生したとき】
【ミスしたとき】

ふだん言葉

173

トラブルの内容を上司に報告し、判断を仰ぐ

バッドボーイズがすごく怒って、契約をキャンセルしたいって言ってますが、どうします？ ▶ ▶ ▶ ▶ ▶

174

急な用事とアポイントが重なってしまった場合

悪いんですけど、今度のアポ、日にちをずらしてもらえますか。 ▶ ▶ ▶

175

うっかりミスを上司に指摘されたときの謝り方

あっ、すみません。ついうっかりして……。 ▶ ▶ ▶ ▶ ▶ ▶

ていねい言葉

第4章

▶▶▶ バッドボーイズの方々が大変ご立腹の様子で、契約をキャンセルなさりたいと電話がございました。いかがいたしましょうか。

Point! 「どうします?」「どうしたらいいですか?」では、あまりにも頼りない。代案を用意して上司に相談をするのが好ましいが、上司の判断を仰ぐなら、せめて「いかがいたしましょうか」という言い回しを使いたい。

▶▶▶ 勝手を申しまして恐縮ですが、20日の午後2時のお約束を午後4時に変更していただけませんでしょうか。誠に申し訳ございません。

Point! 相手はすでにスケジュールに組み込んでいるのだから、丁重に謝ること。「勝手を申しまして恐縮ですが」と、お詫びから始めるといいだろう。

▶▶▶ 申し訳ございません。わたくしの不注意です。

Point! ビジネスの場で非を認めて謝るときは、「すみません」ではなく「申し訳ございません」と言う。不注意によるミスは、素直に認めよう。

たしか先日のお話では、私どものご提案したプランを採用いただけると……

そのようなお話は伺っておりません

【ミスしたとき】　　　ふ だ ん 言 葉

176
提出した書類のミスを
上司に指摘された場合

あっ、ほんとだ。
いやあ、気づきませんでした。　▶ ▶ ▶ ▶
鋭いですね。

177
大きなミスをして
上司に大目玉を
くらったとき

すみません。
これからは気をつけます。　▶ ▶ ▶ ▶
でもそもそもの原因は……。

178
ミスの影響が上司や
会社全体に及ぶことを
謝る

私のせいで、すみません。
大変なことになっちゃいますか？　▶ ▶ ▶

179
初対面の人と会うのに
名刺を忘れて
しまったとき

あっ、どうしよう。
会社に名刺入れを　▶ ▶ ▶ ▶ ▶
置いてきてしまいました。

ていねい言葉

すぐに直してまいります。
申し訳ございません。

Point! 責任を持って仕事を進めていくのは当然のこと。他人事のような言い方をしないように。ミスを指摘されたら、謝りつつ、すぐにやり直す姿勢を示す。

申し開きのしようもございません。
二度とこのようなことがないように注意いたします。

Point! 叱責を受けたときには、余計な弁解はせずに素直に謝る。言い訳をして上司の神経を逆なでしないことだ。状況によって「お詫びの言葉もございません」といった言い回しも使える。

わたくしが至らないばかりに大変なご迷惑をおかけして、申し訳ございません。

Point! 新人のうちは、自分で後始末をしようにもできないこともある。「わたくしのせいです」「わたくしが責任をとります」などと言ってみても始まらない。「ご迷惑をおかけして、申し訳ございませんでした」と謝ること。

誠に申し訳ございません。
名刺を切らしてしまいまして。

Point! 正直なのも場合によりけり。あわてふためくのではなく、切らしていると言い訳をして謝ったほうがいい。そして、忘れずに次回に渡すか、郵送することだ。

【クレームへの対応】

テスト 27　島田と大川部長が、自社の落ち度を関連会社の栗田に謝罪

栗田…留め具がはずれるような不良品なんぞ送りつけてきて、
　　　取り替えると言うから待っとったら、今度は間に合わんのやから。

大川…（ そうですか。ちょっと確認してみないと…… ）
　　　※不手際に対する苦情を聞いて謝る言葉→答は**180**へ

栗田…あんたらのおかげでうちはずいぶん損したんやで。
　　　留め具の確認くらい、最初にせんといかんやろうが。

島田…（ たしかにあなたの言う通りですね。…… ）
　　　※相手の言い分を認め、二度と繰り返さないと誓う→答は**183**へ

栗田…市議さんに届ける約束しとったのに、えらい恥をかいてしもた。

島田…なにとぞご容赦いただきたく、お願い申し上げます。

テスト27のシーン

そうですか。ちょっと確認してみないと……

→答は**180**へ

【角の立たない断り方】

> **テスト 28** 島田が、取引先の社長・小川からゴルフに誘われる

小川…最近、調子はどうだね。

島田…おかげさまで毎日、仕事に励んでおります。

小川…それは結構。そうだ、土曜日あたりゴルフに行かないかね。

島田…は、今度の土曜でございますか。

小川…ああ、そうだ。

島田…（　その日はデートの約束があるんですけど……。）
　　　※礼を言い、妥当な理由を挙げて断りつつ、次につなげる表現を→答は185へ

小川…そうか、それなら仕方ないな。

島田…次回はぜひよろしくお願いいたします。

小川…ああ、そうしよう。だが、本当に法事だろうな。まさか紀子と……。

島田…そんな、滅相もございません。

小川…ハハハハッ、冗談だよ。

　　　　　　　　　　　　　　　　　　　　　　　→答は183へ

【クレームへの対応】　　ふだん言葉

180
こちらの不手際への苦情が一段落したら

そうですか。
ちょっと確認してみないと
私にはよくわからないんで……。　▶ ▶ ▶

181
事実関係の整理や確認をして連絡すると伝える

じゃあ、
ちょっと確認してみますから。　▶ ▶ ▶ ▶ ▶
それから電話しますよ。

182
自分では対処しきれないまたは担当以外のクレーム

どうしたらいいかわからないので、
ちょっと待っててください。　▶ ▶ ▶

183
相手の言い分を認め、二度と繰り返さないと約束する

たしかにあなたの言う通りですね。
これからは気をつけないと　▶ ▶ ▶
いけませんね。

ていねい言葉

第4章

▶▶▶ ご迷惑をおかけして
申し訳ございませんでした。

Point! 明らかに非がある場合は、潔く謝ったほうが相手を怒らせずにすむだろう。ただし、クレームへの対処の仕方は会社によって違うので、確認しておくことが大切。

▶▶▶ さようでございますか。
早速確認いたしますので、
あらためてご連絡させて
いただいてもよろしいでしょうか。

Point! クレームへの対応では謙虚な姿勢が大切。その場では対処しきれないときは、「あらためてご連絡させていただいてもよろしいでしょうか」と、もちかけてみるといいだろう。

▶▶▶ 恐れ入りますが、
わたくしでは
判断いたしかねますので、
少々お待ちいただけますでしょうか。

Point! 判断に迷ったら、「少々お待ちいただけますでしょうか」と言って待ってもらい、上司や責任者、担当者に相談する。「〜いたしかねる」は「〜できない」という場合に、よく使われる表現。

▶▶▶ おっしゃる通りでございます。
今後は十分注意いたします。

Point! 同じような意味合いでも、言葉遣いによって相手の受ける印象は大きく異なる。「おっしゃる通りでございます」くらいは言えるようになりたい。

| 【クレームへの対応】
【角の立たない断り方】　　　ふ だ ん 言 葉

184

相手の非常識な要求を
つっぱねる

いくらなんでも、
それは無理でしょう。　▶ ▶ ▶ ▶ ▶ ▶

185

上司から休日の遊びに
つきあえと言われたとき

その日はデートの約束が
あるんですけど……。　▶ ▶ ▶ ▶ ▶ ▶

186

見合いするようにと
勧められ断りたいとき

えっ、
見合いなんてまだまだ……。　▶ ▶ ▶ ▶ ▶

ていねい言葉

第4章

▶ ▶ ▶ 恐れ入りますが、
ご期待には添いかねます。

Point! 世の中には、何でもないことで途方もない要求をしてくるような人もいる。「無理だ」とストレートに言うよりも、「ご期待には添いかねます」と婉曲的な表現を。

▶ ▶ ▶ ありがとうございます。
大変残念なことに、
その日は法事がございまして。
またの機会にお声をかけて
いただけませんでしょうか。

Point! はっきりと「NO」を言わないのがポイント。お礼と応じられない理由、また誘ってほしいことを伝えよう。ただし、デートの約束といった理由は「はずせない用事」に置き換えたほうが角が立たないだろう。

▶ ▶ ▶ お心遣いはありがたいのですが、
わたくしにはとても
分不相応なお話かと
存じますので……。

Point! 好意に対する感謝を。「見合いはしたくない」とストレートに言わず、「自分にはもったいない」という理由で断るほうが、相手の気持ちを害さずにすむ。「過ぎたご縁かと思われますので」とも言える。

ちょっちょっと待ってください

【気の利いたとっさの対応】

テスト 29 部下の香川が上司の島田に、特別なお願いをする

島田…香川君、ジャックと連絡は取れたか？

香川…はい。ウィリアム・オコーナーは今、マスコミの目を逃れて
　　　パタヤで静養中だそうです。

島田…パタヤって、バンコクのパタヤか。

香川…その件で、(ちょっと言いにくいんですけど、お願いがあるんです。)
　　　※上司に特別なお願いがあるときの話の切り出し方→答は192へ

島田…ああ、いいとも。何だい？

香川…それがですね、ジャックが私にも来るようにと言ってきかないん
　　　です。それがオコーナーに引き合わせる条件だと言って……。

島田…え？　ああ、そうか。
　　　よし、それなら君にもハリウッド一のプロデューサーを口説く
　　　手助けをしてもらうことにするか。

香川…ありがとうございます！

テスト29のシーン

→答は192の続き

→答は192へ

【遅刻・早退・欠勤するとき】

テスト 30　二見が、取引先へ訪問する約束の時間に遅れる

二見…磯辺様、(どうもすみません。電車が止まっちゃって……)
　　　　※アポイントに遅れたときの謝罪の表現→答は**195**へ

磯辺…ああ、そんなお気遣いなく。電車の事故では仕方ありません。

二見…今後はこのようなことのないよう注意いたしますので、
　　　どうぞお許しください。

磯辺…さあ、もう頭を上げて、お茶でも召し上がってください。

テスト 31　上司の島田が、様子がおかしい部下の小山に声をかける

島田…おや、小山君、顔色が悪いが、どうかしたのか。

小山…(すみません。何だかちょっと具合が悪いんで……)
　　　　※体調をくずして早退を願い出るときの言葉→答は**196**へ

島田…ああ、その様子では帰ったほうがよさそうだ。かぜでもひいたのか。

小山…病院に寄ってみます。

島田…そうだな、それがいい。

小山…それでは、失礼させていただきます。

【気の利いたとっさの対応】　ふ だ ん 言 葉

187
受け取った名刺の名前の読み方がわからない！

ええっと、
この名前ってどう読むんですか。　▶ ▶ ▶

188
電話の相手の名前を聞き直したのに、まだ聞き取れない！

ごめんなさい。
やっぱりわかりません。
もう一度ゆっくり言ってください。　▶ ▶ ▶

189
電話が遠くて先方の声が聞き取れない！

もしもし、もしもし！
よく聞こえないんですけど。　▶ ▶ ▶ ▶

190
悪質な電話セールスをきっぱりと断りたい場合

しつこいんだよ。
もうかけてこなくていいから。　▶ ▶ ▶ ▶

ていねい言葉

▶ ▶ ▶ 大変失礼ですが、
何とお読みしたら
よろしいのでしょうか。

Point!
ふた通りの読み方がある名字の場合は、「○○様とお読みしてよろしいのでしょうか」と確認するのもスマートだ。

▶ ▶ ▶ 大変失礼ですが、
どのような字を書かれるのか
お教えいただけますでしょうか。

Point!
繰り返し聞いたところで相手の癇にさわるだけ。漢字での記し方を教えてもらう方法をとると、ようやく合点がいくことも多い。「お教えいただけますでしょうか」と、丁重な聞き方をするのがポイント。

▶ ▶ ▶ 恐れ入ります。
少々お電話が遠いようですが。

Point!
大声で「もしもし！」と怒鳴るのはよくない。「お電話が遠い」という言い方をするのが常道だ。また、「聞き取りにくい」とストレートに表現すると、人によっては「私の話し方が悪いのか」と誤解するので注意を。

▶ ▶ ▶ 恐縮ですが、
今後のご連絡は
ご遠慮申し上げます。

Point!
相手が悪質だからと喧嘩腰になっては、会社の品格にかかわる。きっぱりとした口調で、遠慮する旨を伝えよう。「遠慮させていただきます」という言い方もできる。

【気の利いたとっさの対応】
【遅刻・早退・欠勤するとき】　　ふだん言葉

191

訪問先で突然トイレに行きたくなった！

あの、すみません。
ちょっとトイレに……。　▶▶▶▶▶▶

192

上司に特別なお願いがあるとき

ちょっと言いにくいんですけど、
お願いがあるんです。　▶▶▶

193

会社に遅刻したときに上司に言うべき言葉

ちょっと遅刻しちゃいました。
もう遅れないように
注意します。　▶▶▶▶

現金で5千万
ご用意いたしました

ていねい言葉

▶▶▶ 恐れ入ります。
お手洗いをお借りしても
よろしいでしょうか。

Point! これは会話が一段落ついた場合の言い方。話の最中なら、「お話し中、大変申し訳ございません」と切り出す。席を立つときは「失礼いたします」、戻ってきたら「大変失礼いたしました」と言うこと。

▶▶▶ 実は、折り入って
お願いしたいことがございまして。
少々お時間を
いただけないでしょうか。

Point! 特別なお願いをするなら、やはりていねいに頼む必要がある。上司の手がすいているときを見計らって声をかけよう。「大変厚かましいお願いなのですが」と切り出してもいい。

▶▶▶ 申し訳ございませんでした。
明日からは始業時刻までに
十分な余裕を見て出勤いたします。

Point! こういう場合は、「注意します」「気をつけます」というのではなく、もう遅刻しないと明言しよう。始業時刻を挙げて「9時前に必ずまいります」などと言ってもいい。

うん、いよいよだな

今が正念場だ。これを乗り切れば光がさすだろう。ピンチはチャンスでもある……

【遅刻・早退・欠勤するとき】　**ふ だ ん 言 葉**

194
アポイントに遅刻しそうになったときの電話連絡

すみません。
電車が止まっちゃって
遅くなりそうです。
待っててもらえますか。
▶ ▶ ▶ ▶ ▶ ▶

195
アポイントに遅刻して着いたときの謝り方

どうもすみません。
電車が止まっちゃって
遅れちゃいました。
▶ ▶ ▶ ▶ ▶ ▶

196
体の具合が悪くなって早退したい場合

すみません。
何だかちょっと具合が悪いんで、
帰っていいですか。
▶ ▶ ▶

197
家庭の事情で休みを取る必要にかられた場合

お母さんの具合が悪いので、
ちょっと休みたいんですが。
▶ ▶ ▶ ▶

ていねい言葉

▶▶▶ 申し訳ございません。
電車の事故がございまして、
3時10分頃には伺えるかと
思いますが、ご都合は
よろしいでしょうか。

Point! まずは謝罪の言葉を。それから遅刻の理由、到着予定時刻を伝えて、大丈夫かどうかたずねるといい。

▶▶▶ 貴重なお時間を頂戴しましたのに、
遅くなりまして
大変申し訳ございません。

Point! 理由はどうあれ、遅れたことにかわりはない。まずは謝ることが大切だ。

▶▶▶ 恐れ入ります。体調が
思わしくないので、早退させて
いただけませんでしょうか。
突然、申し訳ございません。

Point! 具合が悪くてどうしようもないときは、「早退させていただけませんでしょうか」とていねいな言葉遣いで上司にお願いする。そのぶん迷惑をかけるので、やはりお詫びの言葉を添えること。

▶▶▶ わたくし事で申し訳ありませんが、
母の病状が思わしくないので、
2日ほど休ませて
いただけませんでしょうか。

Point! 「わたくし事で」と断りを入れ、理由を述べて「休ませていただけませんでしょうか」と許可を取る。親戚の葬式などは「身内に不幸がございまして」と説明する。

"大人"を印象づけるビジネス文書

　ビジネス文書に求められるのは、用件を正確に伝えること。たまに、感想文かエッセイのような文面を見かけるが、何をいいたいのかわからない。まずは基本的な決まりごとを覚えてしまうことだ。そうすれば、応用も利くようになる。

ビジネス文書の基本フォーマット

❶日付　平成16年11月25日

❷宛名
中央物産株式会社
営業部課長　遠山金太郎様

❸差出人名
株式会社東西電産
広報部課長　島田浩二

❹件名
　　　　新製品発表会のご案内

❺前文
　拝啓　紅葉の候、貴社ますますご清栄のこととお慶び申し上げます。

❻主文　さて、このたび弊社では〇〇〇

❼末文　まずは略儀ながら、ご案内申し上げます。

❽結語　敬具

❾記
　　　　　　　　記

日時　平成16年12月25日(土曜)午後6時～8時
場所　東西ホテル　20階　孔雀の間
　　　所在地　……………………………………
　　　電話　　……………
　　　　　　　　　　　　　　　　　　以上

❿担当者名　広報部　田中薫
　　　　　　　電話　03(1234)5678

ビジネス文書の基本形

　取引先など社外に宛てる手紙は、一般的に左ページのような書式をとる。照会や依頼、通知、案内などに共通する形だ。

❶日付
年と日付を右端に入れる。会社によっては、この上に文書を管理するための番号を入れる規則を設けている場合もある。

❷宛名
会社名のあとに改行し、部署、役職、名前を入れる。株式会社は㈱と略さず、会社名の前か後ろか間違わないよう、正しい位置につける。

❸差出人名
日付と同じ要領で右端に入れる。

❹件名
用件がひと目でわかるよう簡潔に、中央に入れる。

❺前文
頭語、時候の挨拶、先方の様子を気遣う言葉を忘れないこと。

❻主文
改行して１文字分あけ、「さて」という接続詞を用いて用件を記す。

❼末文
改行して、結びの挨拶を入れる。

❽結語
頭語に対応する結語を右端に入れる。頭語との組み合わせに配慮すること（詳しくは169ページ）。

❾記
箇条書きで必要事項を簡潔に記す場合、補足事項がある場合に入れる。

❿担当者名
イベントなどの案内状の場合、情報を集約するためにも担当者を決めておくこと。右下にその担当者名を書き添えておくといい。

頭語と時候の挨拶のポイント

　手紙を書き慣れていない人が戸惑うのが、前文の書き方。どんな用件であれ、はじめに頭語や時候の挨拶を入れる必要がある。

◆頭語

　もっとも一般的な頭語は「拝啓」。形式的なものとはいえ、それぞれに意味合いがあるので気をつけたい。
　たとえば、「前略」は前文を省略して用件だけ伝えるという意味なので、後ろに時候の挨拶を入れるのは間違い。目上の人への手紙、お願いやお詫びの手紙に使うのも失礼だ。
　結語との組み合わせにも決まりがあり、「拝啓」ではじめたら「草々」は使えない。
　また、女性の私信で使われる結語「かしこ」は、ビジネス文書では避けること。

◆時候の挨拶

　頭語の次に入れる時候の挨拶は、当然その折々、季節にふさわしいものでなければいけない。ビジネス文書では、いたずらに個性を発揮しようとせず、お決まりの表現を使うのが得策だろう。とはいえ、冷夏なのに「猛暑の候」などと書くのは良識を疑われる。

◆先方の様子を気遣う言葉

　私信であれば「いかがお過ごしでしょうか」といったご機嫌伺いの言葉を入れるところ。ビジネス文書では「貴社ますますご清栄のこととお慶び申し上げます」「時下ますますご清祥の段お慶び申し上げます」などの決まり文句が使われる。取引先宛には「平素はひとかたならぬご高配にあずかり、厚く御礼申し上げます」といった挨拶をすることも多い。

頭語と結語の使い方

文面の内容	●頭語	●結語
一般的なビジネス文書	拝啓、啓上、拝呈	敬具、敬白、拝具
礼を尽くしたいあらたまった文書	謹啓、謹呈、粛啓	謹言、敬具、謹白
取り急ぎ、発送する文書	急啓、急白、急呈	敬具、敬白、拝具
返信である場合	拝復、謹答、拝答	敬具、敬白、拝具
前文を省略する場合	前略、冠省、略啓	草々、不一、不備

時候の挨拶例

1月
初春の候　寒風の候　寒さ厳しき折

2月
余寒の候　向春の候　残寒なお厳しき折

3月
早春の候　春陽の候　春寒ゆるむ折

4月
陽春の候　春たけなわの候　春の光あふれる季節

5月
新緑の候　薫風の候　木々の若葉も目にあざやかな季節

6月
初夏の候　入梅の候　麦秋の候

7月
盛夏の候　猛暑の候　暑さ厳しき折

8月
晩夏の候　残暑の候　暑さなお厳しき折

9月
新秋の候　初秋の候　秋晴れさわやかな季節

10月
紅葉の候　行楽の候　日増しに秋の色深まる季節

11月
晩秋の候　暮秋の候　初霜の便りが聞かれる頃

12月
初冬の候　師走の候　年の瀬も押し迫りせわしい頃

用件を確実に伝えるポイント

　内容と状況にふさわしい前文を書いたら、いよいよ主文に入る。用件を伝えるメインの部分だ。「さて」ではじめるのが一般的。「早速ですが」という切り出し方をすることもある。

◆挨拶、通知
　人事異動で転勤になったときには、なるべく早く挨拶状を送る。お世話になった取引先だけでなく、新しい任地でもすぐに関係各社に着任の挨拶をしたい。
　会社の組織編成、移転などがあったときには、「さて、かねてより弊社では○○○のニーズに対応するため、新事業部の開設を進めてまいりましたが……」などと、できるだけ具体的に理由を挙げるといい。

◆クレーム
　入金や納品などの催促状は、事実関係を明確にすることがなによりも大切。ただし、きちんとした敬語は必要だ。「早く何とかしてほしい」といいたいときでも、「至急ご回答くださいますようお願い申し上げます」「諸般の事情をご賢察のうえ、よろしくご手配いただけますようお願い申し上げます」といった言い回しを使う。

◆詫び状、礼状
　できるだけ早く発送すること。詫び状では「多大なご迷惑をおかけし、誠に申し訳なく衷心よりお詫び申し上げます」「今後は十分に留意いたしますので、ご容赦のほどお願い申し上げます」といった言い回しを使うことが多い。

ケーススタディ 取引先への転勤の挨拶

✗ BAD!

　さて、私、このたび大阪支社へ転勤することとなりました。これまで何かとご支援いただいたことを顧みるにつけ、誠に残念な限りですが、心機一転、新たな土地で努力する所存です。それでは、今後のご健闘をお祈りします。

※これでは、まるで会社間の関係まで終わるような印象を与えてしまう。

○ GOOD!

　さて、私、四月一日をもちまして大阪支社に転勤することとなりました。常々格別のご厚情を賜りましたことを、心より御礼申し上げます。
　後任には秋田弘美が就任いたしますので、今後とも同様のご指導、ご鞭撻を賜りますようお願い申し上げます。

ケーススタディ 商品未納入のクレーム

✗ BAD!

　さて、私どもは先日「XYZシリーズ」をご注文いたしましたが、その後、どのようになりましたでしょうか。よろしくお願いします。

※あいまいで、こちらの趣旨が伝わりにくい。

○ GOOD!

　さて、先月ご注文いたしました「ＸＹＺシリーズ」につきまして、○月○日の期日を過ぎておりますが、いまだご納入いただいておりません。当方の事情もお汲み取りのうえ、○月○日までにご納入くださいますようお願い申し上げます。

封筒の宛名書きの基本形

　先方が手紙を受け取ったときに第一印象を決定づけるのは封筒。手紙がうまく書けても、常識外の表書きをしたのでは、不快感を与えてしまう。縦長の和封筒の基本的な書き方を紹介しよう。

❶宛先
住所は郵便番号から少し離す。縦書きでは数字は漢数字に。2行にわたるときは1行目より1、2字下げて書きはじめる。

❷社名・宛名
社名は住所より1字下げて書く。株式会社を㈱と省略しないこと。名前はなるべく中央にくるように住所より大きめに書き、敬称は「様」を使う。
役職は名前の上に少し小さめに入れ、長い場合は名前の右に。「○○○○課長様」と役職に様をつけるのは間違い。個人名ではなく会社、部署宛の場合のみ、「○○株式会社御中」というように社名に「御中」をつける。

❸内容表示
納品書、請求書、写真などを送るときは「○○在中」と表示する。基本は朱書き。

❹封
「〆」または「封」と書き、糊でとじる。

❺日付
差出人の住所より上に入れる。

❻差出人住所・氏名
名前は住所より大きめに、最後の字が住所より下にくるように書く。

封筒の書き方の基本

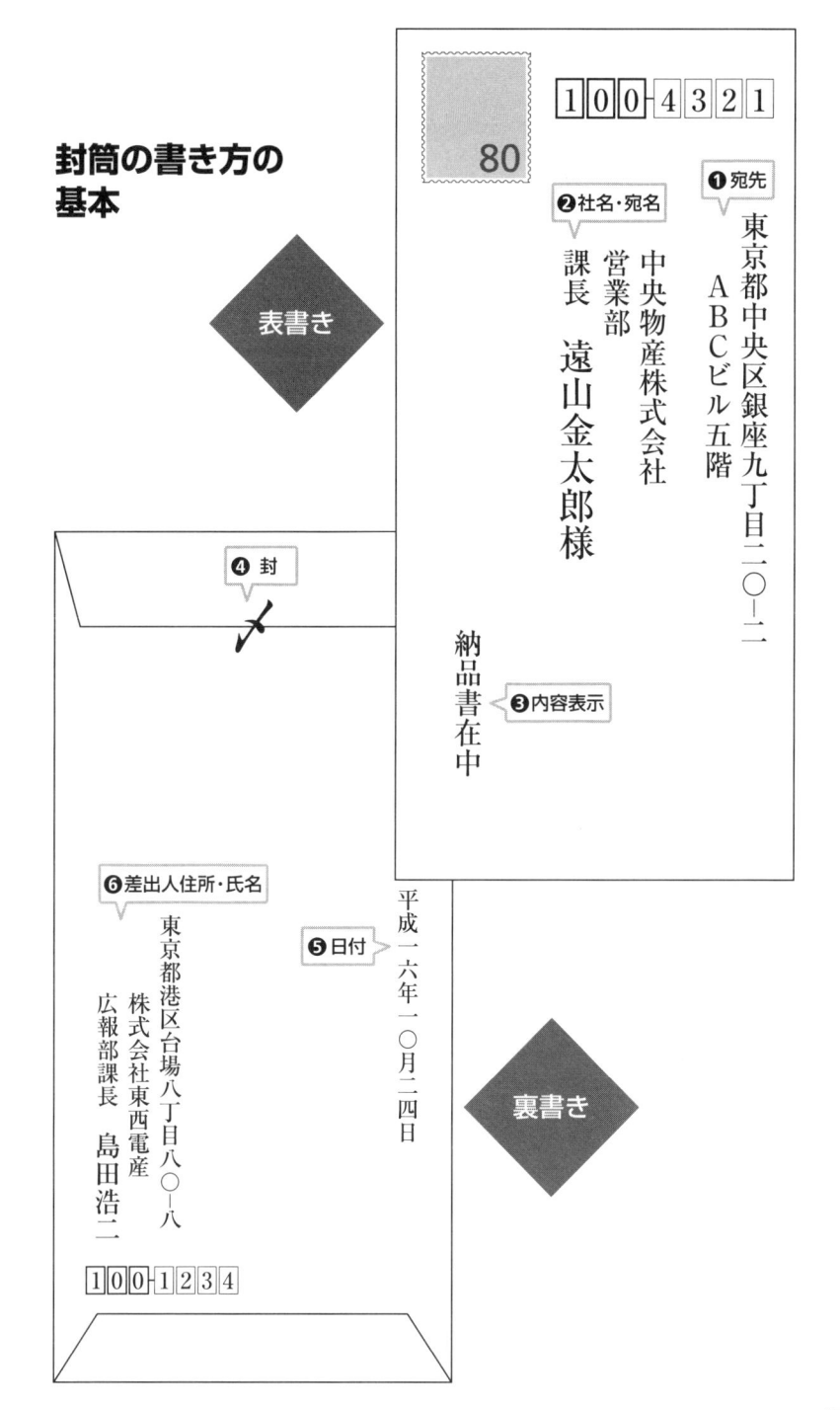

表書き

❶宛先　東京都中央区銀座九丁目二〇一二　ＡＢＣビル五階

❷社名・宛名　中央物産株式会社　営業部　課長　遠山金太郎様

❸内容表示　納品書在中

郵便番号：100-4321　80

裏書き

❹封　〆

❺日付　平成一六年一〇月二四日

❻差出人住所・氏名　東京都港区台場八丁目八〇一八　株式会社東西電産　広報部課長　島田浩二

郵便番号：100-1234

Eメールの基本ルール

　Eメールも書き言葉だが、手紙とは異なるルールがあり、さっと読めて正確に伝わることが優先される。くだけすぎず、簡潔にまとめることが大切だ。

❶件名
用件を簡潔にまとめる。
❷宛名
社名、部署名、名前を入れる。
❸挨拶文
何度もやりとりをしている相手には「拝啓　貴社ますます……」といった長い挨拶は省略するのが普通。「いつもお世話になっております」程度にとどめ、自分の名前を入れるといい。各社に案内などを出す場合は、「平素は格別のご高配にあずかり、誠にありがとうございます」といった挨拶を入れることも多い。
❹主文
用件を簡潔にまとめる。手紙より改行を多く用いて、話の展開に合わせて1行あけるようにすると読みやすい。もちろん顔文字や絵文字は御法度。
❺末文
簡単な挨拶を入れる。
❻署名
必要事項をシンプルにまとめる。
❼引用
返信の場合、相手のEメールの一部を引用し、返事を入れる手法が用いられる。ただし、あまり長く引用すると読みにくくなるので注意しよう。

Eメールの文例

※何度もやりとりしている相手の場合

件名：　新シリーズのパッケージの件　❶件名

株式会社ニューデザイン　近田様　❷宛名

いつもお世話になっております。東西電産の島田です。　❸挨拶文

❹主文　先日お話しいただいた新シリーズのパッケージの件ですが、サンプルがございましたら、拝見できますでしょうか。
　ご都合がよろしければ、来週早々にでもお約束をいただきたく存じます。

　本日はこれより外出いたしますので、お返事はEメールでいただけると幸いです。

❺末文

ご多忙の折、恐縮ですが、よろしくお願い申し上げます。

・・・・・・・・・・・・・・・・・・・・・・・・　❻署名
株式会社東西電産　広報部　島田浩二
電話 03(1234)5678／FAX 03(1234)5679
e-mail simada@touzai.co.jp
・・・・・・・・・・・・・・・・・・・・・・・・

返信例

件名：　Re：新シリーズのパッケージの件

株式会社東西電産　広報部　島田浩二様

いつもお世話になっております。ニューデザインの近田です。
ご連絡ありがとうございました。

❼引用

＞先日お話しいただいた新シリーズのパッケージの件ですが、サンプルが
＞ございましたら、拝見できますでしょうか。

ありがとうございます。
来週月曜日の午後でよろしければ、早速貴社にお持ちいたします。
3時ではいかがでしょうか。

明日の午前中にお電話させていただきますので、どうぞよろしくお願い申し上げます。

ーーーーーーーーーーーーーーーーーーーーーーーー
株式会社ニューデザイン　近田太
電話 03(3333)3333／FAX 03(4444)4444
e-mail chikada@newdesign.co.jp
ーーーーーーーーーーーーーーーーーーーーーーーー

弘兼憲史（ひろかね　けんし）
1947年山口県生まれ。早稲田大学法学部卒。松下電器産業販売助成部に勤務。退社後、76年漫画家デビュー。以後、人間や社会を鋭く描く作品で、多くのファンを魅了し続けている。小学館漫画賞、講談社漫画賞の両賞を受賞。家庭では二児の父、奥様は同業の柴門ふみさん。代表作に『課長　島耕作』『部長　島耕作』『加治隆介の議』『ラストニュース』『黄昏流星群』ほか多数。『知識ゼロからのワイン入門』『さらに極めるフランスワイン入門』『知識ゼロからのカクテル＆バー入門』『知識ゼロからのビジネスマナー入門』（幻冬舎）などの著書もある。

装幀　亀海昌次
装画　弘兼憲史
本文漫画　『課長　島耕作』『部長　島耕作』（講談社）より
本文デザイン　安田真奈己
編集協力　ロム・インターナショナル
編集　福島広司　鈴木恵美（幻冬舎）

知識ゼロからの敬語マスター帳

2005年1月25日　第1刷発行
2008年6月10日　第4刷発行

著　者　弘兼憲史
発行者　見城　徹
発行所　株式会社 幻冬舎
　　　　〒151-0051　東京都渋谷区千駄ヶ谷4-9-7
　　　　電話　03-5411-6211（編集）　03-5411-6222（営業）
　　　　振替　00120-8-767643
印刷・製本所　株式会社 光邦

検印廃止

万一、落丁乱丁のある場合は送料当社負担でお取替致します。小社宛にお送り下さい。
本書の一部あるいは全部を無断で複写複製することは、法律で認められた場合を除き、著作権の侵害となります。
定価はカバーに表示してあります。
©KENSHI HIROKANE,GENTOSHA 2005
ISBN4-344-90065-0 C2095
Printed in Japan
幻冬舎ホームページアドレス　http://www.gentosha.co.jp/
この本に関するご意見・ご感想をメールでお寄せいただく場合は、comment@gentosha.co.jpまで。

Eメールの文例

※何度もやりとりしている相手の場合

❶件名
件名： 新シリーズのパッケージの件

株式会社ニューデザイン　近田様　**❷宛名**

いつもお世話になっております。東西電産の島田です。**❸挨拶文**

❹主文　先日お話しいただいた新シリーズのパッケージの件ですが、サンプルがございましたら、拝見できますでしょうか。
　ご都合がよろしければ、来週早々にでもお約束をいただきたく存じます。

　本日はこれより外出いたしますので、お返事はEメールでいただけると幸いです。

❺末文

ご多忙の折、恐縮ですが、よろしくお願い申し上げます。

‥‥‥‥‥‥‥‥‥‥‥‥‥‥‥**❻署名**‥

株式会社東西電産　広報部　島田浩二
電話 03(1234)5678／FAX 03(1234)5679
e-mail simada@touzai.co.jp
‥‥‥‥‥‥‥‥‥‥‥‥‥‥‥‥‥‥‥

返信例

件名： Re：新シリーズのパッケージの件

株式会社東西電産　広報部　島田浩二様

いつもお世話になっております。ニューデザインの近田です。
ご連絡ありがとうございました。

❼引用

＞先日お話しいただいた新シリーズのパッケージの件ですが、サンプルが
＞ございましたら、拝見できますでしょうか。

ありがとうございます。
来週月曜日の午後でよろしければ、早速貴社にお持ちいたします。
3時ではいかがでしょうか。

明日の午前中にお電話させていただきますので、どうぞよろしくお願い申し上げます。

――――――――――――――――――
株式会社ニューデザイン　近田太
電話 03(3333)3333／FAX 03(4444)4444
e-mail chikada@newdesign.co.jp
――――――――――――――――――

弘兼憲史（ひろかね　けんし）

1947年山口県生まれ。早稲田大学法学部卒。松下電器産業販売助成部に勤務。退社後、76年漫画家デビュー。以後、人間や社会を鋭く描く作品で、多くのファンを魅了し続けている。小学館漫画賞、講談社漫画賞の両賞を受賞。家庭では二児の父、奥様は同業の柴門ふみさん。代表作に『課長　島耕作』『部長　島耕作』『加治隆介の議』『ラストニュース』『黄昏流星群』ほか多数。『知識ゼロからのワイン入門』『さらに極めるフランスワイン入門』『知識ゼロからのカクテル＆バー入門』『知識ゼロからのビジネスマナー入門』（幻冬舎）などの著書もある。

```
        装幀    亀海昌次
        装画    弘兼憲史
      本文漫画  『課長　島耕作』『部長　島耕作』（講談社）より
     本文デザイン 安田真奈己
      編集協力  ロム・インターナショナル
        編集    福島広司　鈴木恵美（幻冬舎）
```

知識ゼロからの敬語マスター帳

2005年1月25日　第1刷発行
2008年6月10日　第4刷発行

```
     著 者  弘兼憲史
     発行者  見城　徹
     発行所  株式会社 幻冬舎
             〒151-0051　東京都渋谷区千駄ヶ谷4-9-7
             電話　03-5411-6211（編集）　03-5411-6222（営業）
             振替　00120-8-767643
   印刷・製本所 株式会社 光邦
```

検印廃止

万一、落丁乱丁のある場合は送料当社負担でお取替致します。小社宛にお送り下さい。
本書の一部あるいは全部を無断で複写複製することは、法律で認められた場合を除き、著作権の侵害となります。
定価はカバーに表示してあります。
©KENSHI HIROKANE,GENTOSHA 2005
ISBN4-344-90065-0 C2095
Printed in Japan
幻冬舎ホームページアドレス　http://www.gentosha.co.jp/
この本に関するご意見・ご感想をメールでお寄せいただける場合は、comment@gentosha.co.jpまで。

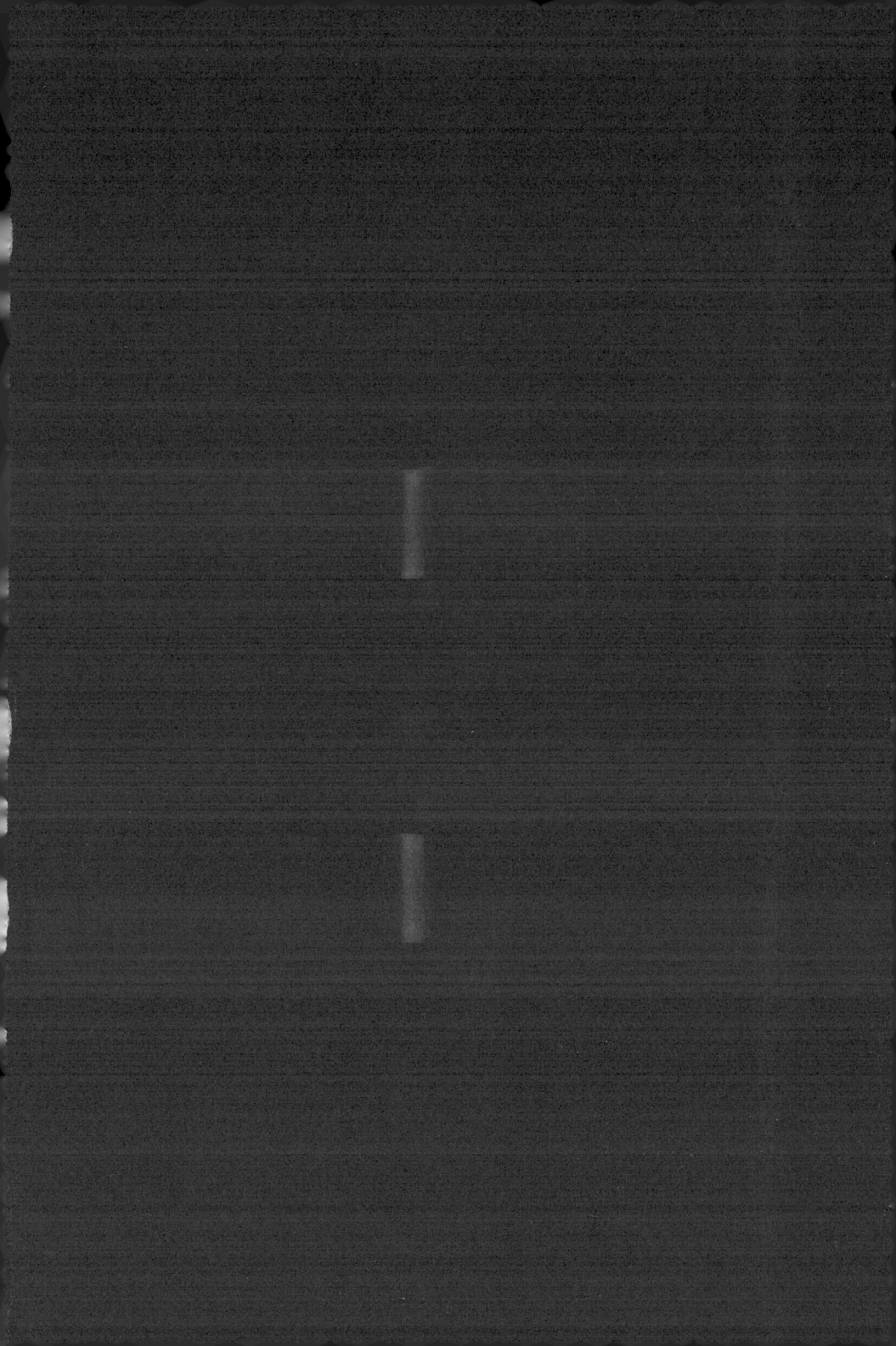